PRVCY PRDX

プライバシー・パラドックス　データ監視社会と「わたし」の再発明

目次

「すべての人間の内面には、すべての人間が完全に関与している。そこにはプライバシーもプライベートな部分もない。我々が互いを摂取し消化しあう世界では、猥褻やポルノや良識すらも存在しないことになる。グローバルな包囲膜を形成するために神経を伸ばす、これが電気メディアの法則である」

——マーシャル・マクルーハン（The Nation, Dec. 28, 1964.）

序文

個人主義にもとづく西洋社会は、自身の考え、願望、喜びを、「自分以上に知る人は誰もいない」という考えの上に成り立っている。自分のことを知っているのは、自分以外にはないという考えが前提である。そこでは、属する国家や政府ではなく、私たち自身が、自分の実生活の責任者である。

しかし、人工知能（AI）はこの原則を変えつつある。AIは、今や私たちが自分自身を知っていること以上に私たちを知っているからだ。ドイツの哲学者イマニュエル・カントは、「より良い人生という考えを人びとに押し付ける権利は誰にもない」と述べた。AIを実装した政府は、国民が本当に何を求めているのか、何が彼らを本当に幸せにするのかを知ることができる。それにより、父性主義が正当化され、最悪の場合は全体主義を正当化する。

ヨーロッパには、「すべての地獄は天国の約束から始まる」ということわざがある。ＡＩ主導の天国への約束が、全体主義をもたらすという危惧も同じことだ。人びとの自由は国家への服従となり、逆説的に言えば、非合理的な者、悪意のある、または破壊的な人だけが自分の道を選び、自由を望むことができるのだ。このようなディストピアを防ぐためには、私たちは他人が私より多くのことを知ることを許可してはならない。

本書はプライバシー概念の歴史から、現代のデジタル・テクノロジーによってデータとなったプライバシーの驚くべき経済システムまでを概観し、個人の成り立ちや趣味、性格や信条、あるいは秘密が、いかに巨大なテック企業の莫大な利益を支えているかを解説する。現代社会におけるプライバシーの主権はどこにあるのか？　自身の制御を取り戻すための戦いは、始まったばかりである。私たちにとってなぜプライバシーは大切なのか？

多くの人びとにとって、プライバシーを守ることは一般的な関心事である。しかし、私たちはスマホやそのアプリが、私たちのプライバシーを吸い取って、企業が莫大な広告収入を得ていることや、データとなって流動する自身のプライバシーの行方には無関心である。そこでのプライバシーは、所詮データに過ぎず、そのデータが私たちの生活を脅かすことはないと、高を括っている人もいる。アプリの利便性は、自身のプライバシーよりも重要とみなされるからだ。これが本書のタイトルである「プライバシー・パラドックス」の意味である。プライバシーは大事だが、スマホの利便性を優先してしまうという、人びとの矛盾に満ちた行動が、どれだけ大きな問題を孕んでいるのか。

二〇一九年、米国の著名な投資家であるピーター・ティールは、ＡＩを「共産主義者」と断定した。ＡＩは市民を監視し、市民が自分自身を知る以上に、ＡＩは人びとを知る力を持つと彼は指摘した。ティールによると、中国社会はＡＩを熱心に受け入れているということになる。

私たちはすでに、ジョージ・オーウェルがその小説『一九八四年』で描いた監視社会のように、ＡＩが市民をコントロールするシステムを政府に提供することで、全体主義を実現することを理解し始めている。ＡＩは全体主義者に哲学的な武器を与えるが、私たちが政府よりも自分たちのことを知っている限りにおいて、民主主義は野心的な全体主義者に対抗できるのだ。

しかし、ＡＩによって状況は急速に変化している。大手テクノロジー企業は私たちの行動に関する膨大なデータを収集しており、機械学習アルゴリズムは、このデータを使って、私たちが「何をするか」だけでなく、「誰であるべきか」を計算する。

今日のＡＩは、特定の人が、どんな映画が好きか、どんなニュースを読みたいか、誰とフェイスブックで友達になりたいかを予測することができる。カップルがこの先もずっと一緒にいるかどうか、そして私たちが自殺を試みるかどうかを予測することもできる。フェイスブックの「いいね！」から、ＡＩは私たちの宗教的・政治的見解、性格、知性、薬物使用、幸福を予測することができるのだ。

ＡＩの予測精度は今後も向上するだけだ。イスラエルの歴史家であるユヴァル・ノア・ハラリが示唆しているように、そう遠くない将来、ＡＩが生み出す私たち自身の双子（デジタルツイン）が、私たち自身が知る前に、私が何者であるかを教えてくれるかもしれない。

このような技術の進展は、政治にも衝撃的な影響を及ぼす。もし政府が私たちよりも私たちをよく知ることができるなら、私たちの生活に介入するための新しい正当化の道が開かれるからだ。彼らは国民の利益の名のもとに、私たちを圧制するかもしれない。

ドイツの哲学者であるアイザイア・バーリンは、一九五八年に、ふたつのタイプの自由を特定した。あるタイプは専制政治につながると彼は警告した。一つ目は、負の自由と呼ばれ、「～からの自由」を意味する。他人や政府の干渉を受けない自由のことだ。負の自由は、あなたが他の人の権利を侵害しない限り、誰もあなたを制限することはできないということである。

これに対して、ポジティブな自由とは、「～する自由」だ。それは、自分自身を支配する力からの自由、自分の本当の欲望を満たす自由、合理的な生活を送る自由である。これを望まない人はいない。

しかし、もし他の誰かが、あなたは「本当の利益」のために行動していないと言ったらどうだろうか？彼らはあなたがその方法を知っているにもかかわらず、あなたがそれに耳を傾けないなら、彼らはあなたに自由であることを強制するかもしれない。これは今まで考えられた中で最も危険なアイデアのひとつだ。

予測されるディストピアを防ぐことができるのは、自分自身よりも自分をよく知っている人がいない場合に限られる。善意の権力を求める人を感傷的に扱ってはならない。歴史的にこれは、災難に終わるだけだからである。

自己認識のギャップを防ぐひとつの方法は、プライバシーの盾を高めることだ。AIを共産主義者と呼んだティールは、「秘密結社は自由主義者である」と主張している。例えば暗号通貨やブロックチェーンは、「プライバシーを有効にする」ことができる。プライバシーは、他人が自分のことを知り、その知識を利用して利益追求のために人びとを操る能力を低下させる。

AIを通して人びとをより良く知ることは、強力な権力と利益をもたらす。何が私たちを幸せにし、健康にし、豊かにするかをより良く理解することは、私たち自身の利益になるかもしれない。それは私たちの職業選択の指針になるかもしれない。より一般的には、AIは経済成長を生み出すと約束している。

問題は、AIが私たちの自己認識を向上させることではない。真の問題は、私たちを知ることの力の不均衡なのだ。私たちについての知識は、誰か他の人の手に握られている場合、私たちを支配する。しかし、私たち自身の知識は、私たちのための力である。

私たちのデータを加工して、私たちに関するデータを作り出す企業は、その知識を私たちに還元する法的義務を負うべきである。私たちはAI時代のために、「私たちがいなければ何も起こらない」という概念を更新する必要がある。

ＡＩが私たちに教えてくれるのは、私たちが自ら考え、行動することである。他の人が私たちのプライバシーを悪用し、そこから利益を得るために私が存在するのではない。そして、プライバシーは私たち自身のものであるべきなのだ。データとなったプライバシーの主権を取り戻すために、世界は今、大きく動き始めている。

現在

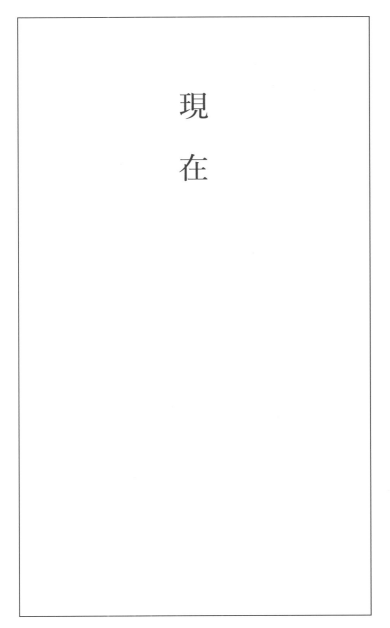

ティム・クックの訴え

二〇一八年五月、欧州連合（EU）の「一般データ保護規則」（GDPR）が施行された。この立法は、世界で最も厳格な個人データとプライバシー保護に加え、「忘れられる権利」や「データ・ポータビリティ（データの移植性）の権利」といったユーザーの〝データ主権〟を明示した点で画期的なものだった。

GDPRの施行は日本でも盛んに報道されたが、それは巨額な制裁金が焦点だった。一万キロ離れたヨーロッパがプライバシー保護で揺れている。それは日本の関心事ではなく、一時の「対岸の火事」に等しいことだったのか？　日本では、GDPRの核心であり、人間という複雑な情報源を原資とするデータ経済の成長を左右する〝デジタル・プライバシー〟が議論されることは稀だった。

GDPRの施行から五か月後の二〇一八年一〇月、ベルギーのブリュッセルで「国際データ保護およびプライバシー・コミッショナーズ会議」（ICDPPC）が開催された。このICDPPCは一九七九年に初めて開催され、約四〇年間にわたりプライバシー保護政策を先導してきた会議である。現在、世界一二二の地域からデータ保護関係者が集合し、喫緊の課題であるデジタル時代のプライバシーをめぐる議論の場となっている。

この会議で最大の注目は、GAFAの一翼を担うアップルのCEO、ティム・クックの発言だった。彼はシリコンバレーの「データ産業複合体」の内実と、巨大テクノロジー企業がユーザーデータをいかに収益化するかに触れ、その中心にはデジタル広告業界に人びとのプライバシーを販売する巨大なデータブローカーが存在していることを強調した。クックは、間違ったデータ・エコシステム（生態系）はすぐさま規制されなければならないと訴えた。

日本の「十分性認定」

GDPRが施行されて一年が経過した段階で、EU加盟国二八か国のうち二三か国が提出したデータ侵害報告を分析した欧州データ保護監督局は、四万一五〇二の違反通知を受領したと報告した。これまで合計九一件の違反で罰金が科され、最高制裁金額はEU競争法違反によりグーグルに科せられた一四億九〇〇〇万ユーロ（約一九〇〇億円）である。今後EUではGDPR違反を追及する動きは加速し、インターネット上のプライバシーが明確に定義され保護されるまで、世界的な騒乱がさらに何年も続くと予想されている。

二〇一九年一月、日本政府はEUと「同等」のデータ保護規則を有する国として、EUと「十分性認定」

2020年6月29日、米国議会下院司法委員会の公聴会に出席するアップルCEOティム・クック。

Graeme Jennings/Washington Examiner/Bloomberg via Getty Images

を共有した。それは、欧州データ保護監督局が日本の個人情報保護法を詳細に分析し、結果、日本のそれはGDPRには到底及ばず、十分性を付与するには多くの懸念があるとEUに勧告した直後のことだった。

日本のデータ保護にあたる現行の個人情報保護法に多くの懸念をいだきながら、EUはなぜ日本の「十分性認定」を裁定したのか？　二〇一九年二月の日／EU経済連携協定（EPA）の発効を控え、EUと日本はデータ・エコシステムにおいても共通項を強調したかったとの見方もある。

日本でGDPRや喫緊のデジタル・プライバシー問題が忘却され続けるなら、いずれ世界のデータ経済やオンライン追跡広告への倫理的対応の遅れが表面化し、将来的には多大な経済損失の原因となる。それは、プライバシー保護をデフォルト（初期設定）とする「プライバシー・バイ・デザイン」（計画上のプライバシー）による製品やサービスの開発に影響し、世界のトレンドに乗り遅れる結果となるからだ。世界ではデータ保護の経済的価値やその自己主権化をめぐる議論は、停滞するどころか加速し続けている。

私たちが生きるデジタル世界で、通貨となったデータやプライバシーの価値を、法規制の背後にある歴史や社会動向、そして文化に目を向けながら、GDPRの発火点となったドイツ・ベルリンから考察するのが本書の目的である。

ドイツの郵便配達人

ドイツ語でプライバシーは「Privatsphäre」と表記する。それは「私的な球体」（領域や範囲）を意味している。球（sphäre）は古代ギリシャ語の地球の球状層（大気圏、水圏、生物圏など）に由来し、今日それは「圏」との同じ意味である。「Privat」はラテン語から来たもので、私的または機密を意味する。「私圏」（私的領域）の対語は「公共圏」（英語では「Public sphere」）である。プライバシーは、他者が介入できない私たちの自己決定権であり人生の一部である。外部からの侵入を拒否し、ひとりでいることの権利もある。職場の同僚や家族の侵入を嫌い、トイレの扉を閉めて心の内部に飛び乗ることができる自由でもある。

プライバシーは、人格を自由に発達させる非公開領域の権利である。プライバシーの権利は人権と見なされ、現代のすべての民主主義に根付いている。ドイツにおけるプライバシー保護は、ドイツ基本法（憲法にあたる）の一般的人格権に由来する。

ただ、この権利は、公益や法執行目的のために一部制限される場合もある。欧州では、一般にプライバシーが公益のために一部制限されるのは、犯罪を察知する場合や交通事故や急病などで身元確認が必要な場合など、さまざまである。公益を優先する場合のみ、公的機関は個人のプライバシーの一部に関与できる。

ドイツの郵便制度は、この委任事例の説明となる。ドイツの郵便配達人は、自分が受け持つ地域ごとに各アパートの玄関の鍵を持っていて、地上階に入ることが許される。ドイツでは、各住人の郵便受けは大抵玄関の鍵を開けた住居の内側に設置されている。玄関の鍵は郵便配達のための一種の公開鍵となっていて、各郵便受けと各部屋の鍵は、住居人のプライバシーに属している。各住民のポストに郵便が確実に届けられるのは、市民の郵便と通信の秘密の保護をドイツポストと郵便配達人が担っているからだ。

今日の喫緊の問題は、インターネットにプライバシーがあるかどうかである。何度も個人情報が漏洩され、見知らぬ人や企業に渡った人びとの秘密は、私たちが望むほど秘密ではないからだ。

真逆な振る舞い

私たちは、モバイルアプリに依存する中毒状態にあると言っても過言ではない。便利なアプリをいち早く使いたいユーザーは、技術要件や法律用語で埋め尽くされた利用規約をほとんど読まず、承認ボタンを押す。事業者がデータを何に使用し、誰とデータを共有し利益を得るかという説明責任は、利用規約の中に判読不可能な形で埋め込まれる。事業者が示す利用規約とユーザー間の「明示的な同意」やユーザーの選択の自己決定は、承諾ボタンをクリックする儀式でしかない。

　アプリの開発者が私たちについて何を知っているか、そしてその情報を誰と共有しているかについて、ユーザーはほとんど疑問を抱かない。私たちは自分たちのデータが収集されていることは知っているが、暗黙のうちにプライバシーのない世界を受け入れている。人とつながり合い、ソーシャルネットワークに依存するうちに、プライバシーは静かに死を迎えようとしているのか？

　一般的に「プライバシー・パラドックス」は、人びとのプライバシーへの信念と実際の行動との間にある根本的な矛盾として定義されてきた。人びとはプライバシーを願望しながら、その真逆な振る舞いを続けるというジレンマである。人びとはフェイスブックやグーグルに日々の生活から生じる絶え間ないプライバシー・データを提供する。企業に多くの洞察と利益を与えることに不信感を抱きながら、人びとは「無料」のサービスを利用し続けている。無料というのは正確には正しくない。私たちは自らのプライバシーという通貨で支払っているからだ。

　シリコンバレーの「データ産業複合体」が動かす商用エンジンは、私たちのプライバシーへの侵食をその中心的なビジネスモデルのひとつとみなしている。これは私たちが「知的」に理解していることだ。研究者やジャーナリストが、プライバシーを重視するかを人びとに尋ねるとき、彼らは「もちろん」と返答する。

しかし、私たちは「データ産業複合体」のサービスを使用し続ける。このとき、プライバシー・パラドックスは出現する。

ケンブリッジ・アナリティカは何も変えなかった

フェイスブックはこれの究極の例である。八七〇〇万人もの個人データが流出した「ケンブリッジ・アナリティカ事件」が発生したとき、マーク・ザッカーバーグはユーザーのデータを安全に保管できなかったことを認め、二〇一八年四月、何百万もの個人データを同意なしに収集して政治広告の目的で使用されたことを米国上院公聴会で謝罪した。これは、個人データやプライバシーの実害を人びとが理解する分水嶺の瞬間だった。フェイスブックの株価は一時的に大幅な下落となり、ハイテク企業によるデータの使用には厳格な規制が求められた。

それでも、二〇一九年の初めまでにフェイスブックの一日のアクティブユーザー数は世界的に増加していた。ユーザー一人当たりのフェイスブックの平均収益は前年より一九%増加し、二〇一八年の第4四半期の全体的な収益は二〇一七年の同四半期から三〇%増加した。ケンブリッジ・アナリティカのスキャンダルがニュースのトップページを飾った国々でさえ、フェイスブックとつながる人びとの活動率はほとんど変わらなかった。データの機密性が証明されていないこと、そして世界中で大きな政治的混乱を引き起こしたことは明らかだったが、それは私たちの実際の行動に何の影響も及ぼさなかった。

ふたつの分析

プライバシー・パラドックスが起こる要因について考察する研究は大体次のふたつの結論に向かう。消費者は自身のプライバシーに関して、合理的な費用便益取引を行う。つまり、ソーシャルメディア・ユーザーは、自分のプライバシーを犠牲にしてでもアプリから得られる利益を重視する。そしてもうひとつは、そもそも消費者は矛盾や偏向に満ちた存在であり、彼ら自身、プライバシーの本当の価値を理解することはない、という分析である。

さらに、人びとはファストフードと同様な感覚で、自身のプライバシー（健康）をあきらめても構わないと思っている。そして、日常生活の中で、人びとは割引やクーポンなどと引き換えに、すべての買い物履歴を企業に提供することをいとわない。この観点から、人びとは自分のプライバシーにほとんど価値を感じていないように見える。このような調査報告が示すとおり、確かにパラドックスは厄介な事態である。

グーグルはシュタージ

さらに問題を複雑にするのは、プライバシー規制に対する伝統的な西洋のアプローチ（法律および規制の観点から）は、常に物理的空間の概念に基づいてきたという事実である。

欧州に住む人びとは、過去に独裁政権などによる監視社会を実際に経験してきた。ドイツにおいては、ナチスのゲシュタポや東ドイツのシュタージ（国家保安局）の記憶が、世代を超えて受け継がれている。ナチス時代の国勢調査は、人口動態の調査という目標のほかに、国民の誰がユダヤ人であるかを特定するための手段だった。何世代も前まで家系をさかのぼり、六〇〇万人のユダヤ人をガス室に送り込むために威力を発揮したのは、コンピュータの前身といわれたタビュレーティングマシン（電動作表機）だった。この機械は、パンチカードを使用して数千、数万のデータから統計情報を迅速に集計することができた。電子化された個人のプライバシーは、ナチス政権のユダヤ人排斥や同性愛者や共産主義者といった異分子の迫害に使われた。第二次大戦後、東西に分断されたドイツの東側では、シュタージが市民を徹底監視し、市民の家の壁には盗聴器が仕掛けられ、手紙はすべて開封され検閲されていた。ベルリンの壁の崩壊直前、市民の一〇人に一人はシュタージの協力者であることを余儀なくされていたという。そうした全人監視社会の恐怖を欧州は痛みとして自覚している。

こうした「政府が自分たちの寝室を覗いている」という現実と向き合ってきた旧東ドイツ市民の記憶は、壁崩壊後から三〇年が経とうとしている現在でも消えることはない。グーグル・マップのストリートビューを作成するための撮影車両をドイツ人が嫌悪するのは、シュタージが市民のアパートを地域ごとにすべて撮影し、市民の家族構成や友人関係を把握するために走らせていた監視用のワゴン車の記憶と重なるからである。グーグルという私企業はかつてのシュタージだと確信するベルリン市民は多い。ちなみにベルリンは、グーグル・ストリートビューの写真削除申請が世界で最も多い都市である。市民の聖域としての住居のあり方について考えれば、その私的領域がなぜ保護されなければならないのかは自明である。しかし、人びとが自宅のプライバシーを離れるとき、突然、公共の領域に入り、個人のプライバシーへの期待ははるかに低くなる。

デジタル時代、特に「ビッグデータの時代」におけるプライバシーをめぐる混乱の理由は明らかである。プライバシーの概念が物理的な空間とオンラインとでは異なる解釈となるからだ。グーグルがモバイルアプリを介して人びとの動きを追跡できることには無関心だが、自分が街を歩いているときに見知らぬ誰かが追いかけてくることには決して同意しない。人びとは自分の家の物理的な侵害を許可することは決してない。家の正面玄関が破壊されていたら警察に届けるが、大規模なデータ侵害がオンライン上で起こったとしても、

旧東ドイツ市民の監視に使われた白いワゴン車。シュタージの捜査一課職員と警察官による「証拠確保」行動。ベルリン市民には、グーグル・ストリートビューの撮影車両がシュタージのワゴン車と重なって見える。

自ら警察に届ける人はいない。

実空間とオンラインとの間で揺れ動くプライバシー・パラドックスから、私たちは次のプライバシー概念のヒントを学ぶことになる。

プライバシーはつながっている

フェイスブックから流出した八七〇〇万人のユーザーデータは、単なる個人データではなく「ネットワーク化されたプライバシー」だった。英国の政治データ分析会社「ケンブリッジ・アナリティカ」が標的としたユーザーは、莫大な数の「友だち」とつながっていた。プライバシーは個人とデータの関係だけではない。ソーシャルネットワークでプライバシーを保護する場合、ネットワーク化されたプライバシーを考える必要がある。私たちは皆つながり、データもつながっていて、私たちのプライバシーもつながっている。プライバシーは個人だけでなく集団にとっても重要となる。

プライバシーがネットワーク化されると、膨大な数のプライバシー・データが連鎖を引き起こす。その時に何が起こるかについて、ブレグジット（Brexit）のEU離脱キャンペーンや米大統領選挙におけるトランプ陣営の政治ターゲット広告が、その恐怖を教えてくれた。つながり合うプライバシーを導管として、有権者の投票行動を心理操作したとするケンブリッジ・アナリティカ事件の内部告発が、世界に衝撃を与えたのは二〇一八年三月のことだった。

プライバシーに対する伝統的な理解は、家のような物理的な空間と深い関連があった。誰かが家の窓からあなたの生活を覗いたなら、人びとはそれをプライバシーの侵害だと考えた。人びとが彼らの家ですることは私的なことだが、彼らが一歩外に出て、公の場で私的な行動を続ければそれは公私混同とみなされる。

サイバースペースはこの理解ともまったく異なる。インターネットに接続すると、すぐにデータは公開されるからだ。インターネットによって、私たちは自分たちのために残しておきたい活動の場、つまりプライバシーを定義する空間の概念と「自己決定権」を失ったのである。

旧東ベルリン市民の家庭には盗聴器が仕掛けられていた。膨大な盗聴テープをチェックするシュタージ職員。

義務

温泉とデータ保護

一九七〇年、世界初のデータ保護法が成立したのは南西ドイツのヘッセン州だった。温泉保養地として知られるこの地こそ、プライバシー保護の聖地だと言われてきた。なぜだろう？　ドイツでは厳しい冬を乗り切るためにサウナが重宝される。しかし、ドイツのサウナは男女混合、着衣を禁じる（「テキスタイルフリー」と呼ばれる）場所である。

ドイツのサウナ文化の根底には、重要な三文字、「ＦＫＫ」がある。ドイツ語で「ＦＫＫ」は「Freikörperkultur」（"free body culture"）の略で、一九世紀末にドイツで生まれたヌーディズムの実践を表現する言葉である。水着を禁止するヌーディズム（ナチュリズム）は、ドイツ人の健康認識の一部である。ベルリン最大の公共公園ティアガルテンでは、ヌードでの日光浴が許可されている。

各文化の社会規範や法律において、ほとんどの場合服を着ることが義務付けられているが、公共エリアでヌードを認める国や、ヌードが非公式に許容されている国もたくさんある。そのような場所では、人は裸であることだけで法的訴追や苦情に直面することはない。これらの限定された範囲以外で、公共のヌードが地域社会に受容され、法的に認められるかどうかは難しい。

私的な場で裸になること、公共の許された場所で裸になれること、このコモンズをサイバースペース上で実現できれば、いくつかのプライバシー・パラドックスを乗り越えるヒントがあるのかもしれない。つまり、実空間におけるプライバシーが自己決定権であるのに対し、サイバースペースではその権利が希薄である。オンライン上のプライバシー主権の認識と環境整備には、人びとが物理的空間との間でプライバシーの必要性を感じてきたような経験が不足している。

サウナのパラドックス

多くの外国人がドイツのサウナにカルチャーショックを感じる。サウナが併設されているケルンのホテルに滞在したときのこと。シンガポールから新婚旅行で来た若いカップルが、サウナの入り口で興奮して声をかけてきた。「このサウナは男女混浴でタオルの着用もできません。私たちの文化とはかけ離れています。サウナに入るのはお勧めしません。やめたほうがよいですよ」と、険しい口調で言った。それは彼らのショックの大きさを物語っていた。

個人データやプライバシー保護に最も敏感な人びとが、サウナでは自身のプライバシーを簡単に「放棄」

するのはなぜか？　ドイツのサウナを体験すると、この「パラドックス」に多くの外国人は困惑する。しかし、この問いは正しくない。サウナは小さくとも公共の場で、そこで裸であってもプライバシーは守られるからだ。これもパラドックスのひとつである。

誰も皆の裸を凝視することはしない。これは、人びとの礼節や謙虚さに起因する。ドイツのサウナ文化は魅力的だ。なぜなら人びとは、男女お互いの裸を「見えていない」ふりをするからだ。人をじろじろと見ることは社会的にタブーであり、ロッカールームで服を着ても、床を見て誰にも見られないふりをし、誰にも気づかれないことを願う。プライバシーを尊重するということは、互いが裸であればなおさら意識される「礼節の規範」なのだ。

ドイツのサウナが着衣を禁じているのは、自然に近い自由で健康的なライフスタイルを促進することを目的とし、水着やタオルに付着するバクテリアなどから身体を守るためというのが公的な見解のひとつである。他人を思いやり、個人のプライバシーを尊重する文化は、ドイツのサウナで実感できる。サウナではプライバシーが厳密に保護されているのだ。

もうひとつ、旧東ドイツ時代もヌーディズムが一般的だった。これは東ドイツの監視社会に対する市民の日常的な抵抗で、人びとが服を脱ぐことは、彼らの自由と自己決定権の数少ない表現だった。プライバシー侵害や違法なデータ共有に対するドイツ人の不安は、ナチスドイツのゲシュタポと、旧東ドイツのシュター

Heinrich Hoffmann/ullstein bild via Getty Images

ドイツでサウナを楽しむ女性たち。1941年頃に撮影。

ジ（国家保安局）による抑圧的な監視社会の記憶とも結びついてきた。

リスクを認識しない人びと

二〇一三年六月、米国の国家安全保障局（ＮＳＡ）および中央情報局（ＣＩＡ）の元局員、エドワード・スノーデンの告発によって、世界は壮大なデジタル監視技術に取り囲まれていることが明らかとなった。ドイツの首相の携帯電話もＣＩＡに盗聴され、世界中のほぼすべての人びとは監視の対象となっている。それでも、自分の家が覗かれ、盗聴されている実感がなければ、居間に置かれた音声応答デバイスが同じことをしても恐怖は希薄となる。

機密情報（健康情報など）を未知の第三者と共有することは論外だが、人びとはフィットネス・トラッカー（スマートウォッチ）を介してグーグルやアップルに同じ情報を送信する。個人の趣味嗜好にあわせた追跡広告を便利な機能と称賛する人も多い。さらに、セキュリティ侵害の通知を受けた場合でも、プライバシー設定を厳しくすることを多くの人びとは怠る。ＥＵ政府と規制当局は、大きな困惑の最中にいる。リスクを認識しない人びとを保護する義務がどこにあるのか？

そんななか欧州データ保護監督責任者であった故ジョバンニ・ブッタレッリ（Giovanni Buttarelli）は、世界の市民はますます自らのプライバシーを尊重するが、実際の行動はデータ経済の巨人が提供する便利なサービスを得るために、ますます自らのプライバシーを手放しているという、いわゆるプライバシー・パラドックス問題への新たな観点について次のように説明した。

「いわゆるプライバシー・パラドックスは、人びとが隠そうとする欲求と開示しようとする欲求が相反しているということではありません。パラドックスの原因は、急速なデジタル化によってもたらされる新たな可能性や脆弱性をどう乗り切るかについて、人びとがまだその方法を学んでいないということです。データ収集が標準的なビジネス慣行となり、個人情報がオンラインで広く利用可能なとき、プライバシーをいかに定義し、尊重し、保護するかは、さらに議論されなければならないのです」

これは二〇一八年一〇月の「国際データ保護およびプライバシー・コミッショナーズ会議」（ＩＣＤＰＰＣ）の基調講演において、ブッタレッリが発言した一部である。デジタル時代においてもプライバシーはユーザーにその主権があること、すべてのユーザーが自身のコントロール下において安心してアプリを使用できる具体的な環境整備が求められている。

権利から義務へ

規制当局は、これまでユーザーの倫理的・道徳的義務の観点からプライバシー保護を立法化していない。その代わりに、プライバシーは常に尊重され保護される必要がある「人権」（自然権）と考えられてきた。だからEUの一般データ保護規則（GDPR）が起草されるとき、改めて人びとの倫理や道徳的義務を立法化に反映すべきとする議論は皆無だった。

今、規制当局は、プライバシーとデータ保護を支える基本的観点を考え始めている。ほぼすべての事象がデジタル化され、データ収集の慣行はいたるところにあり、私たちの日常生活に織り込まれている。パラドックスを傍観するのではなく、個人がプライバシーを自ら守る義務も生じるのだ。

さらに、プライバシー規制の観点には、社会の変容に沿ったプライバシー・シナリオを考慮に入れる必要がある。例えば、ヒューマノイド・ロボットもプライバシーを保護する権利を持つべきかという問いは刺激的である。また、人間ではなく人工知能（AI）が、犯罪者の宣告、つまり「アルゴリズムによる判決」と呼ぶプロセスを行うとき、その意思決定プロセスにはどのようなデータの利用が許可されうるのだろうか？

結局のところ、自社のビルディングブロックに透明なプライバシーポリシーを組み込んでいる企業は、ブランドへの信頼を高めることができる。ブロックチェーンを事業プロセスに組み込む方法を積極的に追求している企業は、ＧＤＰＲのガイドラインを遵守するだけではなく、それを超えたプライバシー保護やユーザーエクスペリエンスの向上を実現する。だからこそ、彼らはユーザーが自ら積極的にデータを提供する自己主権に期待する。データを企業が「盗む」のではなく、ユーザーが積極的に企業にデータを提供するための環境整備である。

プライバシーとは何を意味するのか？　現在それは、ＡＩとあらゆるデジタル変換に取り組む世界の経済原理に照らせば、牽引力のない流行語に過ぎない。しかし、今後五年から一〇年のうちに、プライバシーが正しく機能する企業にこそ、大きな経済的優位性がもたらされるのは確実である。それは信頼と、そして最終的には販売促進までを強化する。顧客は自らのデータをスマートに管理し、デジタル時代のプライバシーにおける自己決定権を回復することになる。

プライバシー・パラドックスは、プライバシー保護を進化させるための重要な理論的構成要素である。プライバシー・パラドックスは、プライバシーの核心を曖昧にする人びとの偏向や矛盾について疑問を投げかける。さらにプライバシー規制には、プラットフォームに公正さを求めるだけでなく、ユーザーに対しても、道徳的かつ倫理的な「義務」や「礼節の規範」を求める議論が必須となる。

将来の規制当局が新しいデータ保護法を策定する際には、ＡＩ規制に対しても慎重さが求められる。ユーザーの道徳と倫理義務を考慮に入れない立法は、プライバシーどころか、人間そのものを否定する大きな過ちにつながる可能性がある。今、私たちがパラドックスと考える事態にこそ、次の解決策が内在しているのである。

「秘密の原則の保障」の消滅

ドイツでは今、人びとが簡単にオンライン上のプライバシーを手放す風潮を懸念し、そのことが民主主義の危機につながるという意見が増えている。同時に、もはや守るべきプライバシーはなく、秘密のない透明で開放的な社会をつくるべきとする急進的な議論もある。社会のあり方を二分するこの対立は、プライバシーをめぐる新たなパラドックスとなりつつある。

二〇一九年五月に行われた欧州議会議員選挙では、極右政党の台頭が危惧されていた。ドイツの有権者たちは、現代社会の情勢を一九三〇年代のワイマール共和国末期と比較し、アドルフ・ヒトラーの独裁政治が突如として生まれた時代と類似した空気を感じていた。そうした危機感が、何とかEU残留派を後押しした。

民主憲法の規範と称されたドイツのワイマール憲法は、一九一九年八月一一日に制定、八月一四日に公布・

施行された。二〇一九年の八月で、この憲法制定から一〇〇年が経過した。ワイマール憲法は、第一次世界大戦敗北を契機として勃発したドイツ革命によって、ドイツ帝国が崩壊したあとに制定されたワイマール共和政下の憲法である。

ワイマール憲法の公式名は「ドイツ国憲法」とされ、国民主権、社会的人権の保障、女性の参政権、国民の基本権の保障においては五〇か条をこえる細かな規定が設けられた。法の下の平等の原則を認め、伝統的な「自由権」を保障するほか、生存権としての基本権を定め、その後の世界各国の民主憲法の先駆けとなった。特に注目すべきは、「秘密の原則の保障」が盛り込まれ、プライバシーが人権であることが明記されたことだった。

国民社会主義ドイツ労働者党（ナチ党）の権力掌握によって、全権委任法が成立すると、ワイマール憲法はほぼその機能を停止した。一九三三年三月、ナチ党による事実上の一党独裁制の下、アドルフ・ヒトラー首相が率いる政府に、ワイマール憲法に拘束されない無制限の立法権が付与された。すべては全権委任法（緊急事態法）の発令がヒトラー独裁政権を成立させたといっても過言ではない。

自由と民主主義を謳歌してからわずか一四年後、アドルフ・ヒトラーによる全権委任法の発令により、市民の人権は一瞬にして無効となった。その直後、第二次大戦というドイツにとっては悪夢となる時代に突入する。ユダヤ人を筆頭に、同性愛者、共産党支持者などが追跡・監視対象となり、彼らの「秘密の原則の保

Keystone View Company/FPG/Archive Photos/Getty Images

ワイマール憲法制定の記念日を祝ってベルリンの国会前に集った群衆。1925年頃に撮影。

障」は一掃された。

　戦後、一九四九年にドイツ連邦共和国基本法（西ドイツ）とドイツ民主共和国憲法（東ドイツ）が制定され、ドイツの新たな憲法体制がスタートした。しかし、東ドイツの統治手段は、かつてのナチ党の監視社会の延長であり、シュタージは東ドイツ市民を全人監視社会へと投げ入れた。一九八九年一一月のベルリンの壁崩壊を待つまで、ドイツは東西の分断と壮絶な監視社会を体験したのである。

　民主的な憲法であっても、市民の自由を停止できる統治手段が存在していたことが独裁政権を生み出した。ナチ党の犯罪を今でも贖罪し続けているドイツ国民は、戦後四五年たって念願の東西統一をなしとげた。ワイマール憲法に眠っていた「爆弾」に翻弄されたドイツ国民が、統一後の憲法において、緊急事態法の執行範囲に細心の注意を払ったことは述べるまでもない。

日本製の性具

二〇一九年六月、ベルリンにあるドイツ歴史博物館はワイマール憲法制定一〇〇年を記念して、「ワイマール：民主主義の本質と価値」と題した展覧会を開催した。第一次大戦の敗戦からドイツ復興の原動力にもなったこの憲法下、当時の市民がわずか一四年の短い期間の中で、自由と民主主義をどう実感したのか？

この展覧会は、当時のポスター、新聞、写真、映画、ラジオや絵画をはじめ、衣服や日用品など、約二五〇〇点におよぶ多様な展示によって構成された。

ひときわ目をひいた展示品は、ワイマール憲法下のドイツで、日本から輸入されていたべっ甲張りの「性具」の展示だった。日本のべっ甲加工技術は、古くから帯留めやかんざしなどに用いられ、性具においても精緻な工芸品といえるものだった。現在の「性具」は欧州において、特に北欧諸国は世界最大の市場となっており、人びとのプライバシーに属する象徴的な製品である。

日本からの性具の到来は、当時のドイツ国民が性の自由を語り出すきっかけとなった。ワイマール共和国で可能になった新しい自由は、性的な改革を大きく後押しした。女性の性の自立を含むこの流れは、ドイツの内科医であり、性科学者、そして同性愛者の権利擁護者となったマグヌス・ヒルシュフェルトの登場によって加速した。ドイツの性解放を促したヒルシュフェルトの活動は一九一九年、同性愛者と性転換者のための研究をはじめ、性医学と性教育のための「性学研究所」設立へと結実した。

同性愛を受け入れる寛容な精神は、帝国時代のベルリンにおいて存在していたが、共和国の同性愛者がより公然と生きるためには、より透明性のある性の解放が不可欠だった。検閲制度の廃止により、あまたの雑誌が自由に出版され、街のキオスクで売られた。これらの状況から、当時のドイツで注目されていた自然主

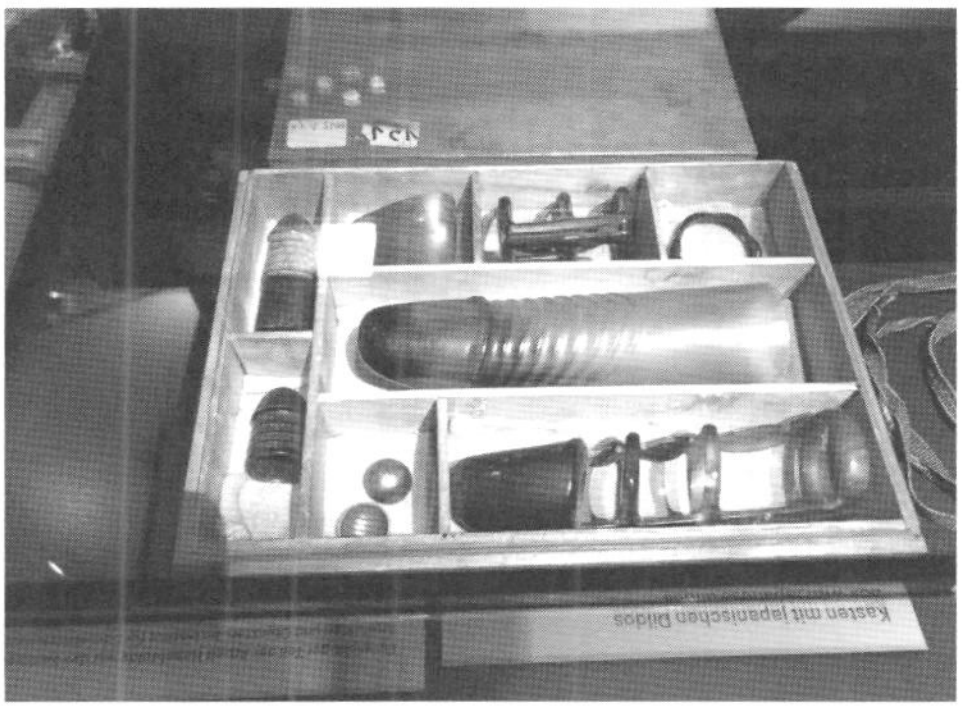

ベルリンのドイツ歴史博物館で開催された展覧会「ワイマール：民主主義の本質と価値」と題された展覧会で展示された日本製の「性具」。

義者（ナチュリスト）の台頭は、工業化社会によって奪われた人間性を復活させる「生活改善」運動をスイスとドイツで発展させた。彼らは菜食主義やヌーディズム、自然医療などのライフスタイルを主張することで、より大きな自由を享受した。一九一九年以降、ドイツは世界でも急進的な民主的文化を成長させていったのである。

メディアと暴露報道

こうした展開は、過去の歴史でもくりかえされてきた。神から人間に創造主体が移行したルネサンスはもちろん、ロマン主義による個人の内面や感情表現の重視など、いずれも個人の自由とプライバシーを重視する並行的な精神活動を促した。別な観点からみれば、自由と民主主義はこれまで隠されていた事象を広く開示し、議論する土壌として発展した。生活改善運動から一九六〇年代以降のヒッピー運動、公民権運動、性解放、ゲイ運動など、これらは社会が封じ込めていたタブーを開示し、それらから新たな公益をめざす展開だった。

一方、人権としてプライバシーの重要性が認識されたのは、メディアの発達と表現の自由に基づく報道の暴露性が、個人の人権を侵害するという事態からだった。ワイマール憲法によっておびただしい数の新聞・

雑誌が登場し、有名人のゴシップが報じられるようになった。これが常態化した社会では、芸能人や政治家などにプライバシーは存在しないとする世間の風潮もある。

逆に彼らのプライバシーが暴かれる度に、大衆は写真週刊誌に喝采を送る。プライバシーが存在するからこそ、暴露報道という経済活動が成立することになる。秘匿と暴露（開示）の取引関係は、プライバシー保護を強化してきた近代社会＝都市化による人口増大と新聞・雑誌メディアの増加が織りなした事故のような現象だった。

ワイマール憲法以後、検閲のないタブロイド新聞やゴシップ雑誌の登場は、私的な領域と公的な領域の相互関係に作用し、公人への「秘密の原則の保障」が曖昧なまま、いわば公益としての情報開示を加速させた。私的領域が広くメディアで開示されることを望まない人びとにとって、プライバシーは守るべき「私の砦」だった。開示されることの価値と秘匿すべき個人の人権とのせめぎあいは、自由と民主主義の変遷に大きな役割を演じたのである。

ベルリンのシュタージ博物館に展示された市民監視用の16ミリ映像撮影機。1960年代に、フランスのボーリュー（Beaulieu）社が製造した電動高性能機がシュタージによって採用された。

未来

「ポスト・プライバシー」の登場

ワイマール憲法により、ドイツはその憲政史上初めてとなるプライバシーの保障を実現した。それから約一〇〇年後、二〇一八年に施行された欧州連合（EU）による一般データ保護規則（GDPR）は、インターネット社会におけるプライバシーと個人データの保護を厳格に規定した立法だった。民主主義とプライバシーをめぐる戦いは、現代のデジタル社会においても喫緊の課題となっている。しかし今、従来のプライバシーの考え方を一気に変更してしまう新たな概念が登場している。それが「ポスト・プライバシー」（脱プライバシー）である。

これまで私たちはプライバシーを「保護されるべき」ものであるという前提で理解していた。しかし、インターネット上のプライバシーは実際のところ、私たちがコントロールできる状態にはないのも事実である。フェイスブックを辿れば、あなたが誰でどんな顔か、友人関係や家族構成、趣味や思想信条までが容易に推定できる。さまざまなデータ・プライバシーを統合し評価する場合、個人の金融資産情報や保険、医療履歴にいたるまで、第三者があなたの個人情報を総合的に評価することも可能である。

スマホのアプリが実現してくれる利便性を求め、データ経済を加速させる企業の社会貢献を評価する人びとにとって、データ・プライバシーはますます開放され、透過的なものとなっている。プライバシーの秘匿と公開との間で揺れるプライバシー・パラドックスを真に理解するためには、「ポスト・プライバシー」の概念を理解する必要がある。

インターネット上のプライバシーをめぐる議論は、この一〇年の間で劇的な変化を遂げてきた。フェイスブックのCEOマーク・ザッカーバーグは、二〇一〇年にサンフランシスコで開催されたすぐれたベンチャー企業を表彰するクランチーズ賞の授賞式で、プライバシーはもはや「社会的規範」ではないと述べた。「人びとはより多くの情報を共有するだけでなく、よりオープンになることで、より多くの人びとと本当の快適さを体験しています。プライバシーという社会的規範は時間とともに進化してきたものにすぎません」と述べ、事実上の「プライバシーの死」を宣言した。

これに続くように、グーグルの元会長エリック・シュミットやグーグルの元副社長兼チーフインターネットエバンジェリストでインターネット開発のパイオニアのひとりであるヴィント・サーフらが、「もはや私たちにプライバシーは存在しない」との見解を示した。特にサーフは、プライバシーとは近代の都市化に現れた「異常なできごと」であるとし、プライバシーという幻想からの脱却を示したことで、世界中から多くの批判にさらされる結果となった。

未来を直視せよ

二〇一一年、ベルリン生まれのプログラマーで作家のクリスチャン・ヘラーが『ポスト・プライバシー：プライバシーのない祝福される生活』(Post-Privacy: Prima leben ohne Privatsphäre) と題する本を出版した。ヘラーの指摘は、デジタル時代のプライバシーは近代社会の強迫観念にもとづいており、それらはすぐさま解消すべきであるという刺激的なものだった。旧弊の削除に対する倫理的および政治的評価、そして何よりプライバシー保護の取り組みが、実際には何を保護してきたのかを根底から問いかけ、それと戦う方法を提示したことで、欧州のデータ保護関係者にも衝撃を与えた。

ヘラーは従来のプライバシー保護活動の大部分に疑念を持ち、プライバシーの保護は現実との乖離を生み、未来を直視しない後衛行動であると批判した。彼はプライバシーの道徳的価値についても疑問の余地があると主張し、すべてのデータはより広い共有、より多くのコミュニケーション、そしてより透明性にもとづいた開かれたものになるべきとの考えを示した。

「秘密から透明な社会への移行」という彼の論理は、従来のプライバシー概念を大きく揺さぶり、この議論は徐々に影響力を持ち始めている。

プライバシーの死は政府・企業にも及ぶ

プライバシーは幻想に過ぎないと宣言し、透明な自己を通して生きる道を選ぶべきとする「ポスト・プライバシー」理論の正否を拙速に判断することは難しい。しかし、この概念の正当性や課題をなるべく客観的に見ておくことは、現代の物理世界とオンライン上を統合する最新のプライバシー概念を考える際に重要となる。

プライバシーに関する新たな議論は、欧州最大のテクノロジー見本市のひとつ、ドイツのハノーバーで開催された「CeBIT 2017」でも重要なテーマだった。この時の招待講演者で、米国スタンフォード大学ビジネススクールの組織行動学の准教授を務めるミカル・コジンスキーは、自身の最新の研究を講演で披露した。

彼は、ソーシャルメディア・ネットワークで入手可能な大規模な顔写真データを用いて、現代人の心身の健康状態、遺伝子の発達の歴史と地域文化の特性までを解明することができると主張し、「人びとの長寿とより良い健康の見返りに、プライバシーは断念すべき時代に入った」と述べた。コジンスキーにとって、人びとの顔写真から、適切な仕事の仲間を発見することも、自殺の予兆を発見することも容易である。この観点は、規制当局のプライバシー概念の範囲を超えている。コジンスキーは、人びとが彼ら自身のデータの管理を維持しようと努力することは今や幻想だと説明した。

私たちは今、透明性の時代、社会のあらゆるレベルでの開放性が重視される時代に生きている。この透明性という欲求は、個人情報から政府の情報公開にまで及んでいる。政府や企業において、何らかの隠蔽や悪質な秘密が発見された場合、組織はその事後対応をいかに迅速に行うかが社会的な焦点となる。ポスト・プライバシー概念の中心には、社会は透明性によってより高次な社会的な善を実現できるという考えが反映されている。

透明性が不可避であることは、ムーアの法則（半導体性能の原則）の継続的な進歩によるものだ。秘密を守るためのコストは、計算コストの減少とは逆に増加する。秘密を保護することがますます難しくなり、費用がかかることを考えると、プライバシーに対する私たちの「期待」自体を変更し、進化させる必要があるのかもしれない。完全なプライバシー保護を実現することは今や不可能で非現実的であり、個人レベルでも秘密を持たないことが重要だとする考え方が「ポスト・プライバシー」理論の要点である。

プライバシーと機密性の死、その結果としての透明性の向上は、個人だけでなく政府や企業にも及ぶ。二〇一三年のエドワード・スノーデンの告発以降、米国の中央情報局（ＣＩＡ）や国家安全保障局（ＮＳＡ）でさえ、以前ほど効果的に自分たちの秘密を保護することはできなくなった。企業についても同様である。透明度が向上すると人びとの活躍の場も広がる。多くの人びとがさまざまな機密に触れることができること

ベルリンのドイツ・スパイ博物館の街頭広告。「あなたのことをよく知っているのは誰？シュタージ、NSA、フェイスブック？」

から、内部告発者はいたるところに出現する。透明性は、公益に即して社会と個人の相互に保障された開示の権利であり、秘密を隠そうとする思惑は否定され、代わりに秘密を共有する方法に注意が向けられる。

「透明な世界」の可能性

健全な透明性はプライバシーを完全には否定しない。プライバシーは政策の問題としての努力目標であり、尊重されるべき理想となる。しかし、透過的なオンライン世界が一般化すれば、プライバシーは物理的世界に根づく古い社会規範として排除される可能性もある。ポスト・プライバシーをめぐる議論の正当性とそこに横たわる疑問は、現代の社会問題の複雑さを示している。

プライバシー保護を離れた世界は、一部の人が考えるような暗闇とは限らない。例えば、中国におけるデータ環境は国家の支配力が強大だが、市民は国家により保護されているともいえる。中国における個人データの流通は、プライバシーの死を積極的に受け入れた、より透明な世界といえるかもしれない。そこは、過度のプライバシー保護と秘密の世界よりも優れている可能性さえある。

透明性が向上すると、説明責任が高まる。例えば、誰もが不正行為を隠すことができるという考えを未然に防ぎ、実際に不正行為を防止するのに役立つ。情報を隠すことができないと悟れば、先を見越してそれを開示するのが実際には良い方法となる。保護されるプライバシーがなくなるにつれて、人びとや組織はよりオープンになることで、未然に不正被害を防ぐかもしれない。

透明性は、従来のプライバシー保護の概念からすれば、根本的に新しい考え方である。よりオープンになることでより多くを共有することに、人びとはまだ戸惑いを隠せない。しかしプライバシーの断念が、実際には社会を改善するという考えにも耳を傾ける必要がある。

透明性は、人びとの発見や議論を育て、イノベーション、学習、コラボレーションを活性化すると指摘されてきた。そして、人びとや組織が、すべての秘密や秘匿された情報は発見可能であるという確信を持つとき、透明性がビジネス、政治そして社会全般を改善するかもしれない。このような観点を持つポスト・プライバシーの概念を、より具体的な事例によって説明してみよう。

オンライン生活の幸福

週に二時間しかクルマを運転しない人と、毎日通勤でクルマを使う人が同じ自動車保険料を支払うのは不公平だという考えがある。また公共交通機関をどこから利用し、どこで降りたかを自動的に追跡できる決済システムや、健康である期間が長く続けば自動的に保険料が安くなる仕組みなど、これらを実現するには、個人の行動履歴などの詳細なデータ・プライバシーを事業者と共有する必要がある。私たちが自身のプライバシーを価値のあるものと交換するときに何が起こるのか？　この問いからポスト・プライバシーの可能性と課題も見えてくる。

ますます多くのアプリが、日々変化するあなたの位置情報の共有を求め、ソフトウェア・アップデートは個人情報の共有を求めてくる。メッセージ・アプリは私たちの最も個人的なコミュニケーション履歴を読み取り、友だちリストにもアクセスする。そして、社会のセキュリティ侵害が日常茶飯事となり、悪質な企業が人びとの選挙行動を心理的に操作しようとする。個人に最適化される広告は、私たちを追跡し、ターゲットにしている。しかしこれらの状況は、さほど不気味なものとして認識されていない。ターゲット広告に対して嫌悪感をいだく人、その利便性を支持する人に分かれるのは、単に国や文化の違いなのではない。それは、日々私たちをオンライン生活の幸福の中に誘い込むビジネスを、人びとが好むか否かの違いなのだ。

私たちは、企業が販売する「盗聴器」とも言える機能を有する音声応答機器にさえ、その利便性の虜になるかもしれない。私たちは、自分や家族のあらゆる種類の情報をアマゾンやグーグルにボランティアとして提供している。位置情報、写真、自分のスケジュールなど、私たちの意図や目的は、私たち自身よりグローバルな視野を持つＡＩ（人工知能）ネットワークによって認識されはじめている。

データ経済の理想

こうした情景から、個人の生活が侵害され、プライバシーが失われるという危険性を語ることはたやすい。映画『マイノリティ・リポート』のように、個人化された広告が私たちの後を追いかけてくる世界を、恐ろしい未来だと考えるのは性急かもしれない。現実に、オンライン追跡広告を暗黒の未来だと考える広告業界の人はほとんどいない。

マーケティング・ビジネスの世界では、プライバシーに関する議論は彼らの最前線かつ秘密のテーマだった。彼らはできる限り多くのデータを収集・保管・分析する過程で、顧客という厄介な「獣」が目覚めないことをひたすら願ってきた。消費者が強い発言力と政治力を持つドイツでは、個人データ解析は悪の温床とさえ言われてきた。そのため企業は、データを売るのではなくスマートに使うこと、大量に安全に保管すること、それと引き換えに顧客に明確な利便性や価値を提供することで信頼を得ようとした。人びとからデータをより多く取得することが可能なら、企業と顧客の人生はともに大きく変わる。その理想こそがデータ経済の原理となった。

透明性と信頼性にもとづいた方法で、人びとに関する親密なデータを収集し保存することと引き換えに、人びとに提供される価値を最大化することが企業倫理にさえなった。世界はこうしたプライバシー取引をいかに受け入れていくのか？

プライバシーは誇大妄想か

ポスト・プライバシー世界は、私たちの生活や生き方までを変える。旅行会社がユーザーの次の旅程をいち早く知っていれば、最良のチケットを提案してくれるかもしれない。アマゾンがユーザーの次の購入希望を知っていれば、詳細な動画広告を表示してくれる。配車サービスのウーバーが、ユーザーのカレンダーにアクセスしてクルマの手配を事前に申し入れてきたらどうか？　旅行会社がユーザーの疲労を察知して、温泉行きを提案してきたらどうか？　私の偏食を気づかうレストランが、特別なメニューの提供を申し出てきたらどうだろうか？　衣料品の小売業者が、ひと月ごとに消費者の体形を知っていたらどうなるか？　こうした世界は本当に恐ろしい世界なのか？

これらの仮定を便利なサービスとして受け入れることは容易である。しかし人びとのスケジュールや位置情報の開示は、やがてあなたの血液検査結果や遺伝情報の開示へとエスカレートするかもしれない。保険会社がこれらの情報の一部にアクセスできる可能性があれば、大きな脅威がある。

そうしたプライバシー保護の議論は、もはや誇大妄想にすぎなくなっているのだろうか？　企業が顧客の情報すべてを知りたがっている中で、当然、ユーザーのプライバシーを匿名化するだけでは十分な保護は不可能だという議論が生まれる。それは、広告主がユーザー一人ひとりのプロファイリングを作成し、限りなく顧客を収奪するという懸念を前提としているからだ。これまで私たちがプライバシーをどのように理解してきたかを考えると、ポスト・プライバシーは急進的な概念であり、すぐには同意できない理由も見えてくる。

ポスト・プライバシー派は、おそらく私たちの将来の究極の贅沢は「プライバシーの専有」だと主張する。今やプライバシーという概念を知らない子どもたちも登場しつつある。リスクを認識しない人びとに、プライバシー保護は必要なのか？　一般データ保護規則（GDPR）を補完し、オンライン追跡広告を事実上禁止する「電子プライバシー（e-Privacy）規則」を準備中の欧州委員会は、ポスト・プライバシー概念の登場と議論の紛糾によって揺れ動いている。

ポスト・プライバシー概念は、プライバシーをめぐる迷走から解放され、自由になれる言説として機能するのか？　利便性や多幸感と引き換えに、私たちは本当に自らの「私的領域」を手放してよいのか？　それに答えるためには、プライバシーを近代以降の発明とするポスト・プライバシー派の考え方の根拠を含め、長い時に刻まれたプライバシーの歴史的な景観を探る必要がある。

シュタージによる市民の監視撮影は日中、頻繁に行われた。カメラはドレスデンの老舗メーカー「ペンタコン」のサブ・ブランド「プラクティカ」。

歴史

神と人間

キリスト教の聖書は謎めいた物語である。欧州において、特に批判精神の伝統があるドイツでは、聖書を通じて人類の起源と神の存在を問い続けてきた。なぜアダムとイブは楽園から追放されたのか？　知恵の木の下にヘビとして現れたのは神だったのか？　聖書は多くの謎や疑問を提起する。それは誰によって、何のために書かれたのか？

今日、ニーチェの「神は死んでいる」という言葉を皆が知っている。しかし、ニーチェは意気揚々とこの言葉を放ったわけではない。この言葉は宗教に対する批判精神の典型であり、信仰を否定したのではなく、神の存在を求める挑発の姿勢として理解されてきた。信仰は与えられるべきではないこと、そして確かな信仰も存在することをニーチェは知っていた。

一八世紀のフランスの哲学者、歴史家で、啓蒙主義を導いた急進的な教会批判者だったヴォルテールは、自らを無神論者とは言わなかった。彼は聖職者の権力と戦い、教皇の存在を否定したが、彼は次のようにも書いていた。「もし神が存在しないなら、人は彼を発明しなければならない」。

ヴォルテールにとって、神は社会を導くために不可欠な道徳的権威だった。この権威的な神の見方は、民主主義でさえ「神なくして実現されない」とする仮説を呼び起こす。神という道徳的権威が人間を導き法に作用する。後に人権や基本法が生まれた理由の核心もここにある。

ファクト・フェイク・フィクション

世界的ベストセラー『サピエンス全史』の著者であるユヴァル・ノア・ハラリは、ホモ・サピエンスが他のヒト属と異なり、圧倒的に進化した最大の理由は「虚構の創出」だったと指摘した。ハラリの指摘したホモ・サピエンスとは、「彼らだけが架空の物語を発明し、それらを広め、そして何百万人もの人びとにそれを信じるように説得することで、多数の見知らぬ人と協力できた唯一の哺乳類」だった。ホモ・サピエンスは、フィクションを創造し信じるユニークな能力を持っていた。人類は「ポスト・トゥルース」(脱真実)から進化したのである。

新聞やラジオ、その後のテレビや今日のインターネットにいたるメディアの歴史は、それまでの事実や真実の概念を大きく変化させてきた。事実や真実を報道する新聞が現れる以前の社会では、事実(ファクト)、偽物(フェイク)、虚構(フィクション)はともにラテン語の動詞「facio」(作る)から派生した言葉であり、事実と虚構は共に「作られた」ものを意味していた。すべては「フィクション」であり「ファンタジー」だった。石器時代以来、神話や虚構（フィクション）が人間の集団を団結させるのに役立ってきた。誰もが同じフィクションを信じる限り、私たちは法律を作り、守り、それによってコミュニティや国家が生まれた。

聖書は神自身による啓示や教訓なのか？ 肉体を持った誰かによって書かれた虚構の物語なのか？ それを断定することはできない。ただ、宗教的世界観は人類が生み出した「道具」の中で最も効果的なもので、人びとを団結させることによって大規模な人間同士の協力を可能にした。数千年におよぶ人間の文明史には「フィクション」が重要な意味を持っていた。

疑うことの力

禁じられた果物の木がなぜ楽園で育っていたのか？ もし神がこの世を造ったのなら、アダムとイブを無知のまま、楽園での生活を続けさせることもできたはずである。神が知恵の木を取り除くことは簡単だったが、彼はそうしなかった。

しばらくして、神はアダムとイブに「禁止」を命じた。しかし、彼らは直ちに神の命令に違反した。ヘビは言った。「あなたがそれを食べる日に、あなたの目は開かれ、あなたは神のようになり、善と悪が何であるかを知るだろう」。アダムとイブが主の命令を破るとき、彼らは自分自身にも疑問を投げかけた。神は本当に私たちを望んでいるのか？　神の命令には何の意味があるのか？　ここから、楽園における神への「懐疑」が始まった。

聖書における最初の物語は、創造主に対する人間の不安、神を盲目的に信じることができない内面の葛藤を示していた。神への疑いは、楽園からの追放として罰せられたが、実は「疑うことの力＝知恵の力」が強調されていた。懐疑と確信の間で揺れる「神」を通して、人類の歴史は進むことになる。

古代社会のプライバシー

最初に神を疑ったアダムとイブの物語は、知恵の果物を通してさらに多くの疑問と向き合うことになる。無知で裸のままでいた楽園には、プライバシーは存在しなかった。善と悪を知ったとき、彼らの内部に秘密が生まれた。知恵の果物を得たアダムとイブの心に最初に芽生えたのは、後に「私的領域＝プライバシー」と呼ぶ意識であり、それは神が人間に与えた「創造性の温床」であり、内なる神の居場所だった。

人類文明の起源にさかのぼるプライバシーの歴史は、長い歴史の中で問われ続けてきた「人間とは何か」という主題でもあった。何世紀にもわたってプライバシー概念を扱ってきた法律学者の長い葛藤の歴史にもかかわらず、プライバシーに関する多くの重要な問題は提起されたときのままである。

一九世紀から二〇世紀にかけて、プライバシーは一般的な権利になったが、プライバシーはこの時代よりずっと前から存在していた。プライバシーは長い歴史を持ち、それは古代社会に起源があった。誰かの私的領域への侵入は、恥と怒りの感情を生み、プライバシーの侵害をあらわす初期の形として現れた。それは、プライバシーを保護するために、自分の身体をイチジクの葉で覆うようになったアダムとイブの物語にも表現された。

自分自身と外界を区別するための個人の要件がプライバシーの基本である。もちろん、公私の間の領界は時代と社会によって異なる。それは人びとが私的領域であると考える事象の歴史を通して、さまざまな変化を引き起こすのだ。

村社会からの解放

古代社会では、私的な生活は国家の影響を強く受けていた。そのため、人びとの自己決定の可能性は限られていた。個人の生活が国家とその目的によって決定されるところでは、個人の自由と自治のための場所はなかった。

中世においても、今日の意味での社会的規範としてのプライバシーは存在しなかった。個人は共同体の一員として存在していたので、彼らの私生活は他のメンバーによる絶え間ない「監視」の影響を受けた。現代のプライバシー概念の萌芽は、これらの小さなコミュニティに生じた変化、つまり都市の出現と関連していた。

一九世紀になると、社会や経済の新たな変化は人びとの生活様式に変化をもたらし、身体的および精神的なプライバシーがふたつの異なる方法で進化し始めた。これらの新しい変化は、プライバシー概念の成立に影響を及ぼした。都市化により人口は急増し、都市の人びとが混雑した場所に住むにつれて、物理的なプライバシーの損失をもたらした。

他方で、村の隣人が常に監視している状況と、村社会の道徳的支配から多くの市民が自由になった。そのことで、市民は新しい「タイプ」のプライバシーを経験することになる。都市化による重要な変化は、のちに事実や真実の守護者となるゴシップ報道やフォトジャーナリズムの起源となったタブロイド新聞の登場だった。

現代プライバシーの起源

一八九〇年、サミュエル・ウォーレンとルイス・ブランダイスというふたりの米国人弁護士が、ハーバード大学の法学レビューに「プライバシーへの権利」という論文を発表した。その中で彼らは、技術的および社会的発展によって引き起こされたプライバシーの脅威を初めて認識した。

彼らの研究には、政治的、社会的、経済的な変化が社会に起こるにつれて、法律は「社会の要求を満たす」ために、人と財産の完全な保護を確実にするために進化し、新しい権利を生み出さなければならないという主張が含まれていた。同論文が出るまでは、英米の一般的慣習法（コモン・ロー）の世界では、財産権侵害、名誉毀損など、既存の法の活用によってプライバシー保護を図っていた。ウォーレンとブランダイスは、コモン・ローに基礎をおく新たな権利を提言したのである。

彼らは、プライバシーを脅かすふたつの現象、すなわち技術開発（瞬間的に事実を記録する写真）とゴシップ新聞（真実の探求と報道の自由）を認識した。これらメディア技術や産業の発展を考慮して、彼らは、個人の財産権の侵害に対する保護を確実にする一般的な権利として、独立したプライバシーに対する権利を要求する最初の取り組みを開始した。

ウォーレンとブランダイスは、プライバシーの権利を、個人の思考、何より感情を他の人に伝える範囲を決定する権利など、私的領域の侵害から個人を保護する権利として定義した。この権利の原則は「人格を暴露される」ことへの防衛的対応だった。基本的に私的な事柄、思考、感情などの望ましくない暴露に対する保護を確実にする権利がはじめて議論された。

この論文におけるプライバシーの権利は、米国でのプライバシー侵害行為をただす起源と見なされ、特に米国の法律に影響を与えた。この権利は大きな成功をおさめ、プライバシーの保護を支持する世論を作った。この論文は、プライバシーを定義しようとする多くの試みを促し、のちの判例にも影響を与えた。欧州は米国の次にプライバシーの権利を検討し始め、ワイマール憲法をはじめ、異なる種類の保護を作り出した。

シュタージによって収集された市民の個人情報は数億のファイル、3900万のインデックスカード、175万枚の写真、2,800リールのフィルム、28,400のオーディオ録音に及ぶ。ベルリンのシュタージ博物館にて。

普遍的定義の策定

プライバシーを定義するさまざまな試みにもかかわらず、プライバシーの普遍的な定義は作成できなかった。それは、プライバシーが時代の観点から再解釈され、時代とともに再検討されていくことを意味していた。

人びとが「個人的」と考えるものにはいくつもの要因がある。特定の社会や文化の間には大きな違いがあり、あるいは科学技術の発展は、情報開示や透明性を促すことにもつながった。プライバシー概念は、異なる状況によって異なる解釈を生んだ。

一九六〇年代、米国コロンビア大学の公法学教授だったアラン・ウェスティンの研究は、消費者情報に内在するプライバシーとデータ保護をめぐる最初の研究として知られている。ウェスティンは、プライバシーを「個人に関する情報が、いつ、どのように、そしてどの程度まで他人に伝達されるかを自分自身で判断できること。それを判断する個人、グループ、または機関の主張」と定義した。

ウェスティンのプライバシーに関する主要な著書『プライバシーと自由』（一九六七）および『自由社会におけるデータバンク』（一九七二）は、米国のプライバシー法の制定を促進し、一九六〇年代から七〇年代の多くの民主主義国における世界的なプライバシー運動の開始を告げた先駆的な研究だった。

ウェスティンは、プライバシーの規範に影響を与える三つの段階に着目した。それは、政治的、社会文化的、そして個人的な段階である。この中で、個人は中心的な役割を果たす。プライバシーは個人が周囲に示す「アウラ」(固有の存在感)として理解することができ、それは個人と外部の世界との境界を構成する。このアウラの領域は個々人によって変化するので、個別化され変化する文脈のすべてから平均的な標準を見つけなければならず、この標準化されたものが法的に保護されることとなった。言いかえれば、プライバシーはあくまで個人の領域にとどまるもので、その普遍的な領域の特定は困難だった。

機能としてのプライバシー

プライバシーの機能とは何か?　人びとがなぜプライバシーを求めるのかを説明するのがこの観点である。アラン・ウェスティンは、「個人の自律性」、「感情の解放」、「自己評価」、そして「限定的に保護されたコミュニケーション」という四つのプライバシー機能を明らかにした。

「個人の自律性」はアイデンティティ(自己同一性)と関連している。他人によって操作されたり、支配されたりするのを避けたいという願望である。「感情の解放」とは、社会生活の緊張から解放され、社会的規範、役割、規則、習慣から安全に逸脱することができる願望をいう。「自己評価」とは、自身の経験や将来の行動を計画し、自ら分析評価する機会を意味する。「限定的に保護されたコミュニケーション」とは、信頼できる他人と個人情報を共有する機会である。

個人は、例えば困惑、嫌がらせ、嘲笑、恥辱、過剰な介入や差別を避けるためにプライバシーを保護しようとする。同時に、プライバシーは個人を安定化させ、心身のシステム維持（健康的な生理学的および認知的機能）および精神的なシステム開発（自主性と自己実現に向けて）の機会を提供する。

プライバシーの要素について正確な見方をするために、プライバシーを、

1　自律する権利
2　個人へのアクセス制限
3　機密性
4　個人情報の管理
5　人格

6　親密さ

に分類し、それぞれに関連するプライバシーの定義を挙げてみる必要がある。

イスラエルの法学者ルース・ガヴィソンによれば、私たちのプライバシーへの関心は、「他者への接近可能性に対する関心事」に関連していると指摘した。米国の法学者で経済学者のリチャード・ポズナーは、プライバシーを明確に定義することを避けたが、「プライバシーの一側面は情報の収集または隠蔽である」と述べている。また、先のウェスティンは、プライバシーを「自分自身に関する情報を、他人に知らせるか否かを判断するための個人の主張」と定義した。

法的概念を作ることの困難

このように、プライバシーをどのように解釈するか、そしてプライバシーの側面がいくつあるかを指摘することは重要であるが、これらの定義はすべて、私的領域と見なす事象についてのさまざまな見解であり、プライバシーの統一された定義を作成しようとするのは非常に難しいことを意味している。

プライバシーとは何かを最もよく説明する定義のひとつは、ハンガリーの法学者マテ・ダニエル・ザボーによって作成された。彼は、プライバシーは「個人が自分自身について決定する権利である」と主張した。この概念には、これまでの定義のほとんどが包括でき、私たちが個人的なものと考える多くの側面が関係していた。

プライバシーに関する本能を広げ改善するため、ザボーの定義と進行中の技術革新や環境の変化を考慮すると、私たちのプライバシーの概念に最も近いものとなる。しかし、ザボーの定義でさえ、プライバシーの概念は、プライバシーに対する権利の法的保護の目的を定義するにはまだ曖昧で抽象的すぎる。

プライバシーが現在の社会経済構造に従って解釈されなければならないという特徴を付け加えれば、プライバシーの完全な法的概念を作成するという目標は不可能かもしれない。これらの不確実性にもかかわらず、いくつかの国際的な法的文書はプライバシーの権利を定めている。しかし、保護の対象が正確に決定できない場合、どのように効果的な法的保護を確実にすることができるのか？　大きな疑問が生じる。

ベルリンのクロイツベルクでは、監視資本主義への抵抗を示す市民たちが、グーグルやアマゾンへの反対デモを頻繁に開催している。

法文書の第一世代

二〇世紀後半から、いくつかの国際法文書が第一世代の基本的人権としてプライバシーの権利を認めており、その保護はこれらの文書を採用している国の国内法令に現れてきた。

例えば国際人権条約は、世界レベルと地域レベルの両方で、プライバシーの権利に関する対処を行った。「世界人権宣言第一二条」（国連、一九四八年）、「市民的及び政治的権利に関する国際規約第一七条」（国連、一九六六年）、「欧州人権条約第八条」（欧州評議会、一九五〇年）、「欧州連合基本権憲章の第七条」（二〇〇〇年）は、プライバシーの権利は基本的人権であり、誰もが私生活、家族生活および通信を尊重する権利を有すると述べている。

これにより、人びとは違法な干渉から身を守る権利を持った。ただし、これらの処理は非常に簡潔であり、プライバシーとは何か、またはプライバシーのどの側面を法的に保護する必要があるのかについての詳細は示していない。これらの質問に対する回答を提供することができるのは判例法であり、これらの条約の適用を監視する裁判所の決定である。

欧州においては、ふたつの組織に言及しなければならない。それらの両方とも精巧なシステムと規制を有している。つまり欧州評議会と欧州連合（ＥＵ）であり、両者に共通する基本的人権条約を法的に認めたのは、欧州評議会の欧州人権裁判所およびEUの欧州司法裁判所である。

欧州の人権条約は、EUの基本権憲章の何十年も前に承認され、欧州人権裁判所は、私生活に関する非常に重要な判例を作成した。「欧州人権条約第八条」は次のように述べている。

〈私生活と家族生活を尊重する権利〉

1 すべての人は、私生活や家族生活、住居そして通信を尊重される権利がある。

2 法律に従った国家安全保障、公安または国家の経済的利益のために民主的社会において必要である場合を除き、この権利（無秩序または犯罪の予防、健康または道徳の保護、または他者の権利および自由の保護のため）の行使への公的機関による阻害はないものとする。

欧州人権裁判所は、その決定においてふたつの条件を検討していた。

1 私生活を尊重する権利に干渉があったかどうか。

2 干渉は合法的だったか？

まず、最初の問題に焦点を当てる。なぜなら、それは私たちが一般的に個人的であると考えている側面に答えを与えるからだ。

欧州人権裁判所は、条約が非常に広い範囲の生活をカバーしているため、私生活の徹底的な定義は記載できないと述べた。また、法律の採択後に現れた技術的および科学的発展については、現在の状況下での私生活の柔軟な解釈を生み出すことを奨励した。欧州人権裁判所は、その判例法において、次の「私生活における干渉」は、合法的であるかどうかをさらに検討すると述べている。電話の傍受、個人の名前の選択または変更、職業または居住地、環境への迷惑行為からの保護、他人との関係を確立し発展させる権利である。

これは「私生活における干渉」の網羅的なリストではない。さらに、欧州人権裁判所の前文では、これらの基本的権利の維持だけでなく、それらが時代によって発展していくことも宣言している。それは、常に変化する社会経済情勢とともに、法律の範囲に該当するものも変化することを意味している。

コンピュータ登場からＧＤＰＲへ

国際規制、特に欧州の規範に焦点を当てれば、一九七〇年代にコンピュータが登場した後、プライバシーや私生活の保護を保障することができるかどうかが疑問視された。情報技術の革新により、私的生活の保護を主題とする別の観点が出現したのだ。データとなったプライバシーである。

プライバシーの歴史を通して、その開発は技術革新の影響から切り離せないことが理解された。七〇年代から、この新しい技術の影響で、欧州人権条約にはいくつかの重大な制限上の問題があることは明らかだった。プライバシーの定義がなく、個人を国家の干渉から保護はするものの、データとなったプライバシーまでは保護しないため、これらの制限は不確実な範囲内にあった。これがデータ保護の権利の出現につながった。一九九〇年代半ばに地球上を覆ったインターネットの登場とデジタル技術の進化の影響は、現代のスマートフォンやソーシャルメディアによる甚大なプライバシー侵害のリスクにまで及んでいる。個人データを保護することの必要性は、かつてない情報メディア技術の急速な進化から生みだされたのである。

欧州評議会は欧州人権条約を前提に、データ保護の重要性に何度か対処し、一九八一年に「データ保護に関する欧州評議会条約第一〇八号――個人データの自動処理に関する個人の保護に関する条約」を採択した。EU内では、この条約のより詳細で明確な進化形が一九九五年の「データ保護指令」となり、二〇一八年には世界で最も厳格なデータ保護を打ち出した「一般データ保護規則」(GDPR)へと進化したのである。

GDPRのデータ保護は、従来のプライバシー保護よりも広範囲となる。プライバシーが侵害されていない場合でも、データ保護の規制はあらゆる種類の個人データ処理に適用されるため、データ保護は広範囲に及ぶ。すべてのデータ処理が個人の私的領域に関連しているわけではないので、GDPRはより具体的な領域を規定しなければならない。個人データはプライバシーそのものではない。

GDPRはプライバシーに影響を与えるデータ処理に適用されるため、より広く、より具体的となる。しかし、その規制はすべてのデータ処理には適用されず、個人のプライバシーを妨げない処理には適用されない。もうひとつの重要な点は、プライバシーは抽象的な権利だが、データ保護の権利には、定義、原則、性質などの詳細な規則があるということだ。

さらなる難題

既存の法的規制とデータ保護の権利の出現にもかかわらず、プライバシー保護は絶えず新たな課題と向き合っている。私たちは、日常生活の中でプライバシーがさまざまな方法で脅かされている世界に住んでいる。インターネットの使用、スマートフォン、ソーシャルネットワーク、ドローン、バイオメトリクス認証、モノのインターネット（IoT）について考えるだけで十分だ。

既存の規制の作成時に、これらのすべての技術革新は反映されるのか？　個人からのデータ提供がない世界を想像することもそこに生きることも、今日ではほとんど不可能である。データ提供と引き換えの監視はなぜ私たちのプライバシーにとっても重要なのか。過去にも常に人びとをモニタリングする状況はあった。それは社会的に認められたものであり、人びとが常に近隣の人びとを倫理的圧力として見守るコミュニティの道徳的規範を強化していた。

これは小さなコミュニティにすでに存在していたものだ。今日の大規模な監視資本主義との大きな違いは、今の私たちが監視されているだけでなく、私たちに関して得られた情報が記録され、経済化されていることだ。コンピュータ技術の発展はまた、データ量や分析の範囲の拡張、または保存期間の制限なくデータを保存することを可能にしている。

私たちはデジタル社会に生きており、デジタル技術は私たちの生活に大きな影響を与えている。新しい技術が私的領域に侵入するにつれて、私的生活の多くの側面にテクノロジーを介した「利便性」が次々に提供されていく。データ経済による便益のために、私たちは本当にプライバシーを放棄してよいのか？　プライバシー保護とプライバシーの死との相克は、招来するスマートシティ、モノのインターネット（ＩｏＴ）から人工知能社会を視野に入れたデジタル・ファンタジーと向かい合うことになる。

民意

TikTokとZ世代

一五秒から一分ほどの短い動画を作成・投稿できる動画プラットフォーム「TikTok」（ティックトック）は、中国のByteDance（バイトダンス）という会社が開発したスマホ・アプリだ。動画を撮影する際に「〇・五倍速」や「二倍速」など、速さを調節しながら撮影し、アプリ内の特殊効果を用いてユニークな動画を誰でも作ることができるのが特徴である。

簡単に自分の顔などを変形し誇張することを表す「盛る」という言葉が日本の若者たちの間で使われているが、ティックトックは「盛り」だけでなく、フィクションやファンタジーを作り出すことのできるアプリだ。このデジタルアプリには、若者たちのアイデンティティやプライバシーの感覚が旧世代と大きく異なっていることが反映されている。今やユーチューバーと並んで、ティックトッカーの影響力は世界中に及んでいる。ティックトックは全世界で合計一四億人のスマホにインストールされており、その発信者はデジタル・ネイティブであるZ世代が中心である。

現在三〇代半ばまでのミレニアム世代と違い、およそ一九九六年から二〇一二年頃までに生まれたZ世代は、現在二四～五歳くらいまでの若年層である。Z世代は、生まれた時からデジタル機器に囲まれ、両親が幼児の時の写真や動画をソーシャルメディアに投稿してきたことを含め、自分が常に周囲から見られているという感覚とともに育ってきた。その意味で、旧世代のプライバシーの感覚とは大きく異なる世代ともいえる。彼らはユーチューブやティックトックで顔をさらし、自らのプライバシーを惜しげもなく公開する。彼らの中には、数十万人規模のフォロワーを獲得し、高額の収入を得るソーシャルメディア上の有名人もいる。

北京に本社を置くバイトダンスが所有するティックトックは、世界中で爆発的なブームを引き起こし、中国が所有する数少ないソーシャルメディア・アプリのひとつとして欧米諸国で勢いを増している。ティックトックは、フェイスブックが所有するメッセージング・プラットフォームであるワッツアップに次いで、世界で二番目にダウンロード数の多いアプリであり、米国でも約一億人のアクティブユーザーを獲得している。

プラットフォーム制裁

ティックトックの親会社は中国にあるため、「中国共産党が統制する諜報活動を支援し、協力することを余儀なくされる可能性がある」として、米国政府は最近、米国の大半の若者を魅了しているこの中国製の動画アプリを、国家安全保障上の脅威とみなし始めた。外国企業による買収を精査する米国の「対米外国投資委員会」が、ティックトックの親会社であるバイトダンスに関する調査を開始したと表明し、数人の米国上院議員が、ティックトックのデータ収集と監視に関する懸念を指摘している。フロリダ州の共和党議員であるマルコ・ルビオ上院議員は、ティックトックがユーザーを監視している「重大な証拠」があるとして、米財務省に国家安全保障への影響に関する調査を要求した。

二〇一九年二月、ティックトックには、米国内の一三歳未満の子供に関するデータを収集したとして、米国連邦取引委員会（FTC）から五七〇万ドル（約六億三八〇〇万円）の罰金が科されている。ティックトックには米国のユーザーデータを中国に送っているとの懸念もされているが、このような告発は、すでにファーウェイを含む他の中国企業に対しても行われている。そして何よりの懸念は、ティックトックがフェイスブックを舞台とした二〇一六年の大統領選挙へのロシアの介入疑惑に類似した政治キャンペーンの潜在的な脅威となるとの指摘である。

大規模なハイテク・プラットフォームの場合、ユーザーのプライバシーを侵害することには大きな罰金が科せられてきた。フェイスブックは二〇一九年七月、制裁金五〇億ドル（約五四〇〇億円）を支払って、数億人のユーザーのデータ・プライバシーを侵害したとする告発を受け入れた。二〇一七年には、個人信用調査機関のエキファックスは、約一億五〇〇〇万人の個人情報を漏洩しデータ侵害につながる過失を犯したことにより、七億ドル（約七五〇〇億円）を支払うよう二〇一九年に命ぜられた。また、同年九月、グーグルはユー

Joe Scarnici/Getty Images

TikTokのアメリカ上陸を記念してハリウッドで開催されたローンチパーティの様子。

2018年8月1日。

チューブにおいて、両親の同意なしに数百万人の子供のデータを収集したとして、一億七〇〇〇万ドル（約一八〇億円）の和解金の支払いを命じられた。

データの値段

巨額な制裁金の背景には、オンライン・プライバシーの真の価値をめぐる消費者経済学の議論が横たわっている。米国のいくつかの州と連邦政府が厳格なプライバシー法に注目し、ＦＴＣが金銭的ペナルティによってビッグテック企業のデータ濫用を抑制しようとしている。その中で、多くの調査や研究が、消費者にとってデータ保護はどれだけの経済的価値があるかを見極めようとしている。もしその「金額」を特定できれば、消費者の利益とデータを収集し監視する企業の利益との間に、適切なトレードオフを見つけることができるはずである。しかし、消費者が個人データにどのような価値を置くかを正確に把握することは困難だとする見解もある。このテーマを研究した人びとは、データに値段を付けること自体が、まったく間違ったアプローチであるという結論に達し始めている。

世界の大多数の人びとは、個人データの収集とその濫用を中心に展開するビジネスモデルを認識しつつ、フェイスブックやグーグルなどの無料サービスを引き続き使用している。自分と家族の写真をオンラインに投稿し、オンラインストアの購入履歴を企業が追跡・分析することに同意し、どこにいても自身の位置を追跡するアプリを承認する。人びとが本当にオンライン上のプライバシーを気にしているのなら、フェイスブックやインスタグラムを削除し、プライバシーを重視したグーグルに替わる検索エンジンに切り替えるはずである。

しかし、大多数の人びとはフェイスブックやグーグルと離別していない。その理由は何か？　フェイスブックはプライバシー侵害の反発の中でさえ、記録的な利益を記録し、グーグルとアマゾンの株価は史上最高値を更新している。ニューヨーク・タイムズは先ごろ重要な論説を発表し、著者のロブ・ウォーカーは消費者のプライバシー保護をめぐるこれまでの懸念を見渡して、その犯人と目されたビッグテックに「問題はない」と結論付けた。

年間二四〇〇億ドル

オンライン・プライバシーに対する大多数の人びとの欲求と彼らのオンライン行動の間にある明らかな分

裂は、プライバシー・パラドックスとして知られるようになった。この現象を解読しようとする試みは多くあるが、ほとんどの専門家は、人びとの実際の行動から人びとが求める本当の価値は何かという結論を導き出すことは難しいと判断している。これは、消費者の選択肢があらゆる要因によって形作られているためだ。

これまで、データ侵害における制裁金は、個人情報が盗まれた場合に失う可能性のある時間とお金、または信用回復に支払う必要のある金額など、消費者に対する直接的な金銭的影響に基づいていた。これは、エキファックスの違反のような場合は理にかなっているが、問題のデータが閲覧履歴、ロケーション履歴、またはアドレス帳である場合、損害を評価するのははるかに困難となる。そのようなデータ侵害を誰も望んでいないが、そうしたデータに実際どれだけの価値があるのかを正確に計算することは極めて難しい。

フェイスブックだけで、北米のユーザー一人あたりに換算して、年間約三〇ドル、または一か月あたり約二・五ドルの売り上げがあるとされる。この額面では、人びとのプライバシーの価格は特に重視されていないように思える。しかし、質問を反転し、企業が個人データへのフルアクセスを得るために個人にいくら支払うかと尋ねると、平均的な回答は月額八〇ドルだった。それに約二億五〇〇〇万人というアメリカ人ユーザー数を掛けると、オンライン・プライバシーで年間二四〇〇億ドル（約二六兆一三八〇億円）の価値があると推測される。

これは、すべての子会社を含むフェイスブックとグーグルの合計年間収益を超えている数字である。この価格により、厳格なプライバシー法が正当化されるかもしれない。また、ＦＴＣがフェイスブックに科した五〇億ドルの罰金は、オンライン・プライバシーが侵害されたときにユーザーが失った価値にすれば少額のように見える。

新しいオイル

ハーバード大学のアンジェラ・ワインガーとキャス・サンスティーンは、行動経済学と呼ばれる消費者の支払い意欲と契約条件を受け入れる意思の間にある大きな矛盾についていくつかの理論を提示している。

ひとつは、消費者は、データはデフォルトで安全に保たれるべきだと感じているため、それを保護するための方策を持っていないということだ。それは、水道の水を無毒に保つためにいくらなら払ってもよいかと消費者に尋ねることに似ている。

もうひとつは、個人データの提供と引き換えに企業からの支払いを受け入れると、人びとへの不適切なアドバイスや推薦が増大する――特に消費者の健康に関するデータは、企業にとって莫大な価値を生み出すが、逆にユーザー自身には大きなリスクが生じるという懸念である。

一方でプライバシー規制当局が人びとのデータを保護することの価値を過大評価し、テクノロジー企業にそれを使用させることの価値を過小評価することにより、経済活動を損なうリスクがあるという研究にも留意すべきである。データはしばしば新しいオイルと呼ばれてきたが、運搬量の単位であるバレルは、各国によって異なる設定値があり統一されていない。これと同様に、データの量的定義は定まっていない。

消費者データのほとんどは、大規模に照合および分析された場合にのみ経済的な価値を生み出すことが前提にある。つまり、フェイスブックやグーグルの個々のユーザーは、企業と同じくらい効率的に自身のオンライン行動を収益化することは困難なのだ。その意味で、ビッグデータ・マイニングは、プライバシー保護責任を強化して行うことができれば、これまで存在しなかった数兆ドルの経済的価値を生み出すと、ジョージ・メイソン大学で経済学とプライバシーに関するプログラムを指揮するジェームズ・C・クーパーは、米国商工会議所財団の二〇一七年のホワイトペーパーにおいて主張した。

データ・プライバシーはかつてのプライバシーの概念を超えて、離散的なデータ流通の中に存在している。その中で、私たちの身体からも離反したデータ・プライバシーが現状のデジタル経済をさらに活性させる可能性がある。「プライバシーの死」は、新たな局面を迎えている。

壁の中に埋めこまれた盗聴機。シュタージ博物館にて。

リスクは便益を上回る

二〇一九年一一月、プライバシーに対する米国人の態度を調査した最新の報告書が公開された。ワシントンDCを本拠とし、アメリカ合衆国や世界の人びとの問題意識や意見、傾向を調査するシンクタンクとして知られる「ピュー研究所」(Pew Research Center)によって明らかとなったその内容は、プライバシーをめぐる多様な意見の混沌を示すと同時に、従来のプライバシー概念を刷新する調査結果でもあった。

二〇一九年六月三日から一七日までの間、四二七二人の米国の成人を対象に実施されたこの調査によると、七〇%の人びとが五年前より個人データの安全性が低下したと考えている。多くの人びとは、個人データを収集することで提供される製品やサービスは、ユーザーの時間とお金を節約し、より良い健康と幸福につながるように設計されていると考え始めている。ただ、米国の成人の大多数は自らの利益を実感していない。八一%の人びとは、データを収集する企業による潜在的なリスクは個人の便益を上回ると考えていて、政府のデータ収集についても六六%の人びとが同じリスクがあると感じている。

しかし、一般の人びとがプライバシーのさまざまな側面について懸念を表明しているとしても、多くの米国人は、プライバシーポリシーや利用規約に注意を払うことに熱心ではないことを認めている。米国人の九七％がプライバシーポリシーの承認を求められたと回答しているが、「同意する前に会社のプライバシーポリシーを常に読んでいる」（九％）、または「頻繁に読む」（一三％）と回答しているのは五人に一人である。成人の約三八％がこのようなポリシーを時々読んだと主張しているが、三六％の人は同意する前に会社のプライバシーポリシーを読んだことがないと答えている。

同時に、米国人の七九％が企業によるデータの使用方法に懸念を示しており、六四％が政府のデータの使用方法にも懸念を抱いている。また、ほとんどの人は、企業による個人データの共有方法を制御できないと感じている。これは、データ処理を行うサードパーティに対するユーザーの不信感によるもので、インタビューを受けた人の六九％が、「企業は個人情報を誠実に使用していない」と感じている。

不信感の曖昧な証拠

調査結果はまさに「プライバシー・パラドックス」を示すものだった。とりわけ、ユーザーの不信感の根拠となるデータ・プライバシーへの認識は曖昧である。これまであったデータ漏洩事件やケンブリッジ・アナリティカ事件などの深刻なプライバシー侵害に対処するために、「カリフォルニア州消費者プライバシー法」（ＣＣＰＡ）の成立をめぐって多くのメディアで議論が交わされてきたにもかかわらず、一般の人びとにはデータ・プライバシー法についての理解が不足している。六三％の米国人は、自分を保護するためにどのようなデータ・プライバシー法が制定されているかについて「ほとんど理解していない」、または「まったく理解していない」と答えた。

これらの調査結果は、最近のプライバシー保護に関する警戒心を示しているが、一般の人びとが公共の利益を重視したデータ駆動型サービスに価値を見いだしていることも明らかとなった。例えば、複数の成人は、成績の悪い学校が生徒のデータを教育成果の改善を支援する非営利団体と共有することや、政府がすべての米国人に関するデータを収集して、誰がテロリストになる可能性があるかを評価することを容認している。

若い世代では、ソーシャルメディア企業がユーザーのうつ病の兆候を察知するために、健康データを医師と共有しユーザーを監視するという考えを受け入れている。これらの市民の態度の変化の中で、次のステージは、企業によるデータ収集と共有の許可を誰が与えるかという問題である。自分のデータを完全に制御しているか、いつ誰と共有したかについて、プライバシー、データ共有、および信頼性について市民の意見を求めるのは必須である。

「プライバシー」と「デジタル・プライバシー」

この調査は、米国社会がデジタル・プライバシーをどのように見ているかについて、刺激的な観点を示している。この調査では、米国人に「プライバシー」と「デジタル・プライバシー」という言葉の独自の定義を聞いている。両方の質問において、回答者は他者や組織、彼ら自身について言及した。彼らの個人的な活動と所有物を保護したいという欲求、そして彼らの個人データへのアクセス権を誰に与え、どう制御するかに関心を持っていることが判明した。さらに注目すべき傾向として、サードパーティへのデータ・プライバシーの販売、追跡または監視、犯罪およびその他の違法行為の脅威、または政府からの干渉に言及する人びとが少なくなっているという結果がある。

プライバシーの意味を尋ねると、回答者の二八％が他の人や組織に言及していた。「個人情報をビッグデータ企業の手に渡さないようにすべきである」（男性、三四歳）という回答とともに、約四分の一（二六％）の人びとが、企業が自分の生活のどの側面にアクセスするかをコントロールする能力について言及している。「個人のプライバシーとは、個人的に公開することを許可しない限り、個人情報はすべてプライベートであることを意味します」（男性、五七歳）。この回答のほか、一五％の回答者は、外部の組織や人びとに言及することなく、自分自身と自分の所有物に焦点を当てており、「プライバシーとは、自分の個人情報が安全であると感じることができる状態のことです」（女性、一八歳）や「自分の個人情報を完全に管理したい」（女性、二九歳）といった回答があった。

「デジタル・プライバシー」について尋ねたとき、回答者は再びプライバシー・コントロールについて言及した。約一七％の人が自分自身と自分の個人情報の保護について言及した。「社会保障番号、銀行情報、医療記録などの個人情報は非公開で安全であるべきです」（男性、五九歳）。また、回答者の一四％が、他の人が自分のプライバシーのどの側面にアクセスできるかを決定できるコントロール権に言及していた。「意図した受信者ではない他の人が、情報やメッセージにアクセスするのを拒否することがデジタル・プライバシーではない。それはデジタル技術を使用する際のオープンな基本的姿勢を意味する」という回答は注目された。

ノー・データ、ノー・ライフ

大きな変化の兆候として、回答者の九％という小規模な意見にも留意すべきである。このグループにとって「デジタル・プライバシー」はフィクションであり、実際には存在しないと考えられている。「私の意見では、デジタル・プライバシーは存在しません。インターネットに接続されているコンピュータに何かのデータを置くと、プライバシーは放棄され、『プライベート』ではなくなります」（女性、七五歳）という回答は、今の現実を端的に表現している。

「デジタル・プライバシー」の定義に関する回答の多くは、「プライバシー」に関する回答と重複するものだった。同時に、「ソーシャルメディア」、「オンライン」、「インターネット」、「データ」などの言葉は、回答者が「デジタル・プライバシー」を説明する際に多用されていた。米国人の大多数は、オンラインおよびオフラインの個人の活動が、一定のルールのもとで企業と政府によって追跡および監視されていると考えている。さらにこの状況は、現代生活の一般的な条件であり、米国の成人の約六割の人は、企業や政府によって収集されたデータによる「恩恵」なしに、日常生活を送ることはできないと考えている。

Z世代のプライバシー放棄

一九九六年以降に生まれた「Z世代」（Gen Z）と呼ばれる世代は、自分がいる場所を企業が追跡し、追跡広告と引き換えにさまざまな無料アプリを利用できるスマートフォンとともに成長してきた。スマホのなかった世界をZ世代は知らない。通信インフラのソリューション企業として知られるコムスコープ（COMMSCOPE）が、二〇一七年春にテクノロジーをリードする八つの都市、ニューヨーク、ロンドン、ベルリン、ベンガルール、香港、ソウル、東京、ブエノスアイレスの四〇〇三人の消費者を対象としたオンライン調査を実施した。この調査への参加者は一三〜二二歳で、スマホを頻繁に使用するZ世代とテクノロジーとの親密性を調査した研究である。

最もデジタルに精通した世代が支持する新たな技術、ネットワーク、および通信のニーズ、プライバシーとテクノロジーに対する態度を理解するために実施されたこの調査結果で顕著だったのは、Z世代がプライバシーを放棄し、旧世代よりもオンライン上に多くのプライバシーを投稿し、デジタル技術をより生活に取り入れようとしていることだった。彼らの決定は、プライバシーを心配し評価しないからではない。彼らには、もはやプライバシーを守るという選択肢がデジタル社会には存在しないということがわかっているからだ。Z世代の生活は、インターネット・アクセスの利便性のため、プライバシーを共有することを私たちに要求するデバイスを中心に成熟してきた。彼らにとってプライバシーのない世界は自然の一部なのだ。

公共性とのトレードオフ

プライバシーについての懸念は、他のすべての人の生活が公共的でオープンになっているかどうかではるかに減少する。コムスコープの調査によると、Z世代の三分の二は「個人のプライバシーの時代は終わった」ことに同意した。ここで重要なのは、三分の二の回答者が、オンラインで活動することは個人的なものではないということにも同意したことである。彼らはプライバシーを放棄しても構わないと思っている。それが何を意味するのかを彼らは正確に知っている。

Z世代はプライバシーの放棄をトレードオフとして考えている。それが将来のサービスや製品に実装される「便利さ」につながるからだ。新しいデータ経済とサービスが次々と消費者に提供され、彼らのニーズと要望に合わせたサービスが生まれてくる。

二〇一七年、ネバダ州ラスベガスで毎年開催される世界最大級のハッカー会議のひとつである「DEF CON」で、基調講演を担当した作家で技術文明の批評家であるリチャード・ティームは、「ポスト・プライバシー」議論に大きな影響を与えた人物でもある。彼は「従来のプライバシーの概念はインターネット時代には当てはまらない」と語り、「プライバシーは存在しない。かつて存在していた方法では存在しておらず、プライバシーを考えた二〇世紀の枠組みは、事実上終了している」と語り、人びとはそれをすぐさま認めるべきだと聴衆に迫った。今後の道は、「失われた神話と戦うのをやめ、プライバシーが存在しないという事実に屈することだ」と彼は言った。

個人の聖域としてのプライバシーが虚構であるとするティームの見解を過激な議論と見るか、それとも彼の指摘がデジタル社会を生きる私たちの宿命であると見るのかは、今後のデータ経済の動向とともに注意していく必要がある。プライバシー保護を個人主権とする旧世代とは異なり、デジタル・ネイティブであるZ世代にとってのデジタル・プライバシーは、より良くデジタル社会を生き抜くための新たな「公共財」なのかもしれない。

自己

テセウスの船

古代ギリシャに、テセウスという名で知られた伝説的な王がいた。彼は多くの海戦に勝利した。アテネの人びとは、彼の船を港で保存することで彼の栄誉を後世に伝えた。何百年もの時間がたち、船の甲板などが腐りはじめた。船を完全な状態に保つために、腐敗した板は同じ材料の新しい板に置きかえられた。重要な問いは次のとおりである。板の一枚を交換しても、それはテセウスの船と同じなのか？　神話の船についてのこの問いは、哲学上の最も興味深い命題のひとつ、すなわちアイデンティティ問題となった。

「テセウスの船」は、アイデンティティの形而上学を理解するための哲学的思考実験である。それが提起する基本的な問いは、部品のすべてが置きかえられたオブジェクトは、元のオブジェクトと同じか否かというものである。この考え方は、人間の心と身体に関する理論に適用すると、さらに興味深い方向へと向かう。

未来を志向する人びとは、人間がテクノロジーという「部品」を得ることで、機能的不滅に到達するかもしれない世界を想像する。「技術的特異点」（シンギュラリティ）を理論化する人もいる。人類は先進技術と融合し、人間と技術は区別できなくなるかもしれない。将来、私たちは自分の意識を自分のクローンや人間よりもはるかに延命する人工の有機体にアップロードすることはできるのか？　そのようなことが可能となっても、私たちはまだ人間で、自分自身なのか？　この考えは、特にサイエンス・フィクションの作品で探求されてきた。

一九九九年の映画『アンドリューＮＤＲ１１４』（原題：Bicentennial Man）では、テセウスの船のように、ロボットがゆっくりと彼の部品を交換することで「人間」に移行する様子を見ることができる。この映画の原作は、ロボットや人工知能（ＡＩ）の倫理規則（いわゆるロボット工学三原則）を提起したアイザック・アシモフである。人間へと近づくロボットを通して、この映画は「テセウスの船」の核心問題を共有していた。

二〇一五年の映画『アドバンテイジャス／アドバンテージ～母がくれたもの』（原題：Advantageous）では、若さを失った母親が、トランスヒューマン企業の「顔」である宣伝担当の職を解雇される。娘との生活を維持するために、彼女は企業の実験台になることを受け入れ、自身の心を別な若い女性（ドナー）に移植する。その後、容姿も身体機能もすべて変わってしまった彼女は、元の彼女であり続けるのか？　まさにテセウスの船の中心命題が描かれた。

オートバイ修理

テセウスの船の命題には、これまでさまざまな解答が提案されてきた。『禅とオートバイ修理技術』（原題：Zen and the Art of Motorcycle Maintenance／一九七四年）という著作で知られる米国の作家で哲学者のロバート・M・パーシグは、工場出荷時には同じだったはずのオートバイが、時間の経過とともに個体ごとの個性をまとう点に注目した。これは、バイクを運転する個々の乗り手の知識や思い入れの総体が、バイクという存在のうえに具現化し、個性を形成するからだ。ここでの「バイク」を「船」に置き換えると、テセウスの船の命題が見えてくる。

「よく扱われ、よく整備されたバイクは、乗り手の無二の親友になるが、ひどく扱われたバイクは手に負えない拗ね者になる」と語るパーシグの哲学的思考は、後に「クオリティの形而上学」（The Metaphysics of Quality）という概念へと結実する。

そこでは、テセウスの船をめぐる概念の階層が定義され、これにより、この命題への新たな解答が用意された。すなわち、「船は、変化する低位のパターン（部品）の集合体であり、単一の高位のパターン（船全体）は変化しない」というものだった。概念の階層は次のように示された。

低位のパターン・客観的概念：全体は部品で構成される
高位のパターン・主観的概念：船

このふたつの概念は個別には正しい。しかし、主観的には船であっても、客観的には部品の集合であることを、混同して考えるとパラドックスが生まれる。その代表的なものは、「時間の経過とともに、船のアイデンティティはどう変化するのか？」という問いである。

この命題は、時間を超えて存在する連続的な「船」ではなく、各瞬間の船（部品）は別個であり、各瞬間にのみ存在することを示唆している。私たちは自分自身を刻々と変化する存在として認識しており、最終的には、長期にわたる継続的なアイデンティティがあるか否かが問われる。結局、このパラドックスの問題は、「部品の交換を続けると、元の船ではなくなるのか？」という、テセウスの船が最初に示す問いに回帰することになる。

Art Media/Print Collector/Getty Images

古代ギリシアの英雄テセウスがミノタウロスを征伐する逸話を題材にした15世紀中葉の絵画。

川の水は絶えず流れる

ブルックリン・カレッジの情報科学教授であるノーソン・S・ヤノフスキーの著作『理性の外側の限界――科学、数学、論理が解明できないこと』（The Outer Limits of Reason／二〇一三年）には、七年間で、私たちの身体のほとんどの細胞は死に、置きかえられるという説が紹介されている。この学説の真偽はさておき、この本では、細胞の中に私たちのアイデンティティと精神はあるのか？　という質問が検討された。

ヤノフスキーは個人のアイデンティティの存在を疑う前に、テセウスの船について言及し、物理オブジェクトは時間とともに変化すると主張した。これは、ギリシャの哲学者ヘラクレイトスの有名な議論であり、川の水は絶えず流れ、変化しているので、同じ川に二度足を踏み入れることはできないというものだ。変化するのは物理的なオブジェクトだけではない。人も企業や組織も、常に変化し進化する動的なエンティティ（存在）なのだ。

すべての人や組織は時間とともに変化する。私たちは幼児から老人にまで成長するが、その時の流れにおけるそれぞれの「自分」に、どれだけの共通点があるのか？　これらの質問は個人的アイデンティティの問題と呼ばれ、特定の人間を構成する特性は何かを問う命題である。

アイデンティティの実体

哲学者は、「テセウスの船」に関していくつかの異なる立場をとる。一部の哲学者は、人は本質的に自分の身体であり続けるという概念を推進する。私たちはそれぞれ異なる身体を持ち、ほとんどの人が自分の身体と自分の心を同一視する。身体にアイデンティティがあると仮定することで、テセウスの船と同じ問題に直面する。私たちの身体は絶えず変化し、古い細胞は死に、新しい細胞が生まれている。ここでアイデンティティのアップデートも起こるのだ。

他の思想家は、人間は自身の心の状態または精神であるという概念を支持する。結局のところ、人間は単に自分の身体ではない。人は思考するため、物理的なオブジェクト以上のもので、この考えを支持する哲学者にとって、人は意識の絶え間ない流れであり、それらは記憶、思考、欲望などを表している。人の性格も時間とともに変化する。

精神状態の連続性が人間を特徴付けるという立場において、より興味深い挑戦のひとつは、アイデンティティは実体ではなく感覚や認識によって変化するという問題である。テセウスの船は、船としては実際には存在せず、テセウスの船が意味する正確な定義もない。それは感覚の集合としては存在するが、オブジェクトとしては存在しない。船を足で蹴るとつま先に痛みを感じ、見ると茶色の木材が見える。船を舐めると、古くなった木と塩水を味わうかもしれない。これらはすべて、私たちが「テセウスの船」と結びつける感覚である。人間はこれらの感覚を組み合わせて、テセウスの船を生成するのだ。

テセウスの船の命題は、現代のデジタル・プライバシーをめぐる重要課題と向き合っている。個人のアイデンティティが、その人のプライバシーという各「部品」に基づいているとすれば、現代のデジタル・プライバシーはオンラインを漂流し、個人には帰属していない。そもそもプライバシーは存在しないと主張する人びとにとっては、自身の身体的アイデンティティとデジタル上のアイデンティティは分別されているのかもしれない。

私はもはや私ではない

前出のリチャード・ティームは、世界中のハッカーから「父親」として尊敬されており、「ポスト・プライバシー」議論に大きな影響を与えた人物である。アイデンティティを形成する主な要因である「プライバシー」についての彼の主張を「DEF CON」の二〇一七年の基調講演から再び見てみよう。

ティームは「プライバシーは個人にとってのみ意味を持つ。インターネット上では、私たちはもはや個人ではない」と述べた。「私たちは自分自身を信じているが、私たち自身はもはや自分自身ではない。私たちはかつての私たちと同じ人ではない」とするティームの指摘は、テセウスの船の思考実験にひとつの現代的な結論を示している。私たちは流動し、変化する存在であり、アイデンティティやプライバシーも個人の内部に存在するという理解も幻想なのかもしれない。

「過去の言語では、テクノロジーを通じて私たちが何になったかを説明するには不十分だ」とティームは続けた。「すべてをデジタル化する動きは、既存の社会を流動化させた。しかし、私たちの心はその変化に追いついていない」と彼は指摘した。

さらにティームはZ世代にも言及し、「子供たちはプライバシーを大人と同じように考えていない。なぜなら、彼らはプライバシーのない世界で育ったからだ」と述べた。彼は、プライバシーが存在しないという事実に屈することで、初めてインターネット時代の人間の意味を再定義することができると指摘した。

デジタル時代の「人間」

「プライバシー擁護者がいくら正当で誠実であっても、彼らは新たな現実を受け入れず、後衛で戦っているだけである。現実は常に勝利する」と述べたティームは次のように結ぶ。「私たちはプライバシーの喪失が現実だと認めなければならない」。

私たちは、プライバシーは誰のものかという問いとともに、デジタル社会をさまよっている。そこでは、アイデンティティの形成要因であるプライバシーと、その派生物であるデータ・プライバシーが明確に分別される未来も問われている。私たちはデータの集合体（部品）であると同時に、生身の身体を乗り物（船）として生きている。船はいつか消滅するが、データは生き続け、そのデータの部品をジグソーパズルのように組み合わせると、「私」というアイデンティティが形成される。これが、デジタル時代の「人間」の本質なのかもしれない。

操作

「私は彼らのもの」

ハーバード大学ビジネススクール教授で、『監視資本主義の時代：権力の新領域における未来への戦い』（The Age of Surveillance Capitalism: The Fight for a Human Future at the New Frontier of Power／二〇一九年）の著者であるショシャナ・ズボフは、世界中の人びとが「監視資本主義に支配され、操作されている」と主張した。七〇〇ページに及ぶこの大著は、多くの読者を震撼させるに十分な論拠を提起していた。

監視資本家は、私たちが利用するブラウザの中に仕掛けられた小さな足がかり（クッキーと呼ぶ追跡広告用ファイル）から私たちを容易に操作できることを理解してきた。モノのインターネット（ＩｏＴ）は、私たちの家、クルマ、電子レンジ、さらにはマットレスまでをも操作する。歯ブラシ、スニーカー、掃除機など、以前は身の回りの道具や家電に過ぎなかったモノたちが、今や「スマート」な監視人となっている。ポケモンＧＯからスマートシティ、アマゾン・エコーからスマート・ロボットにいたるまで、監視資本主義の命令とその方法は、絶え間ない嘘、隠匿、操作をいたる所で実行しているとズボフは主張する。

ウォッカのボトルもスマートになり、インターネットに接続できるようになった。ズボフは本の中で、これまで皆が見過ごしてきた重要な指摘を行った。それは、グーグルとフェイスブックをプライバシー侵害で攻撃することは、彼らの本当の姿と権力の規模を見逃すことであり、ビッグテックに対峙する世界の規制当局や活動家の多くを悩ませる悲劇的な誤算だと指摘したのである。

つまり、ビッグテックが人びとのプライバシーを侵害しているという世論の高まりは、皮肉にも彼らが持つそれ以上の権力を隠蔽する結果となっていると、ズボフは主張した。プライバシー保護を超えた問題として、ズボフは次のような社会的・経済的な「転回」が起こっていると指摘した。「グーグルで検索をすると、グーグルが我々を検索する。かつてデジタル・サービスは無料だと考えられていたが、今では監視資本家が私たちを『無料』だと考えている。ここでのメッセージは簡単だ。今、私は彼らのものなのだ」。

私たちは、コミュニケーション、消費行動、友人や家族関係、さらには感情や心の状態さえも捕獲するネットワーク・デバイスが、日常生活を支える世界に住んでいる。そのデバイスの中には、インターネット・ミーム（Internet meme）と呼ばれる情報ウイルスが蔓延している。それは現実のウイルス感染のように、人の意識を変異させる伝染性の強い情報である。

人びとの考えや行動を容易に変化させるミームは、ネットの世界ではマーケティング用語にすらなっている。ほとんどの人びとは、テクノロジー企業によってもたらされる脅威をプライバシー侵害の問題だと見なす。しかしズボフは、監視資本主義が前例のない規模で個人データを収集している背後には、プライバシー侵害を超えたそれ以上の脅威が含まれていることを示唆した。

ズボフが「新しい神権」と呼ぶ、テック巨人の驚異的な能力は、個人の想像を超え、公的な説明責任すらない、人間社会の外側で機能する新しい形態の技術であり、人びとの行動を修正し操作できる力なのだ。この「神権の力」を確認するには、プライバシー保護の議論を超えた「新しい反動」が必要となる。これが、個人の自由と民主主義の名の下に監視資本主義を抑制する唯一の方法だとズボフは主張した。

原材料の確保

ズボフはその著書の中で、グーグルやフェイスブックがユーザーのデータ・プライバシーを収集することを「抽出」という言葉で説明する。抽出とは原材料の確保を意味する。二〇世紀の資本主義は、大量生産を支える原材料の調達が不可欠だった。かつて自然界に無尽蔵に存在するといわれた天然資源の抽出（採掘）である。しかし、現代の監視資本主義における原材料とは、人びとのプライバシーを含む行動データである。抽出されたデータは、ビッグデータと予測アルゴリズムに組み込まれ、予測産業を成長させる。

さらにこれらのデータは市場で売買され、ユーザーの行動にまで影響を与える。つまり、グーグルは行動データの抽出プロセスを自動化しただけでなく、人びとの行動自体に影響を与えるプロセスまでをも自動化した。グーグルは当初、ユーザーの行動データをサービスの改善にだけ利用していた。しかし、投資家からの利益追求を目指せという強いプレッシャーの中で、データの価値を十分に使い切れていない、その「余剰性」に気がついた。

つまり、検索から派生した余剰（付随）データ（検索語の数とパターン、ユーザーのクリック・パターンなど）を使用して、グーグルの検索結果を改善し、ユーザーに新しいサービスを追加する。これにより、より多くのユーザーを引き付け、学習と拡張の再帰サイクルで検索エンジンをさらに改善した。

広告屋の「聖杯」

一九九八年九月に創業したグーグルの商業的なブレークスルーは二〇〇二年に始まった。収集したデータを使用して、ユーザーの特性や興味に応じてユーザー自身のプロファイルを作成できるようになった。次に、ユーザーが検索した言葉とそれに関連する広告を照合するだけでなく、ユーザーが求める広告を個別に配信することが可能となった。人びとが何を買うかを予測し、広告を個人に正確かつ効率的にターゲティングすることは、広告業界が長年夢見てきた「聖杯」だった。

グーグルにとってユーザーは単なる顧客ではなく、原材料サプライヤーとなり、そこからグーグルは、「行動的余剰」と呼ばれる新たなデータ価値を導き出したとズボフは指摘した。グーグルの開発した人工知能（AI）の強力な能力とともに、ユーザーの心理と行動の操作は、政治キャンペーンなどの他の目的にも利用でき、明らかに大きな価値があった。

グーグルは、データが莫大な広告収益に役立つことを発見した。検索エンジンの精度を高めるためのデータは、やがて他の目的に使われる「余剰のデータ」となり、現代のデータ経済の原資となったのである。グーグルの戦略は常に我々の頭上を超えていた。グーグル・ストリートビューで、自分のアパートの外観が撮影され、ネットで公開されると、プライバシー侵害への懸念が広がった。しかしグーグルは、次に述べる四つの段階を経て、世の中の批判と規制を回避する方法を見いだしてきた。

グーグル・マップのインフラ化

人びとの位置データを抽出するために用意された大掛かりな舞台装置は、グーグル・マップの開発だった。マップの重要な要素であるグーグル・ストリートビューを例に説明しよう。まず世界中の街にグーグルの撮影用のクルマを走らせて、通りや住居の写真を撮影する。これが「包括的な参入」(incursion)という第一の段階である。市民は不意打ちを経験する。都市や街という公共空間がグーグルによって包含されたのである。

次に起こるのが「馴化」(habituation)で、ユーザーは便利なグーグル・マップやストリートビューに順応し、慣れ親しんでいく。その一方で、プライバシー侵害訴訟などの動きも起こる。しかし、そうした訴訟を打ち負かすのが、ユーザーの利便性を向上させるための戦略である。街の店舗からカフェにいたるまでの詳細情報がグーグル・マップに実装される。ある地点から目的地までの経路、時間が案内され、見知らぬ土地でホテルを予約することもできる。こうした実社会への「適応」(adaptation)が展開されると、結果、人びとや社会のニーズがグーグルへの反対運動などを「転換」(redirection)させ、このサービスが不可避な社会的インフラにまで高められたとズボフは指摘した。

アンドロイドの位置情報

私たちの日々の位置データを収集し、今、誰がどこにいるかを正確に監視する能力を持つのがグーグルである。AP通信による最近の調査では、アンドロイドおよびアップル・デバイス上の多くのグーグル・サービスが、ユーザーのプライバシー設定や電源のスリープ状態にかかわらず、ユーザーの位置データを収集・保存していることが判明した。

米国テネシー州にあるヴァンダービルト大学のコンピュータ・サイエンス教授であるダグラス・C・シュミットは、グーグルがすべての製品のユーザーとその個人的な「習慣」について収集しているデータの量と、それらのデータをどう分析するかを調査した。その結果、待機状態のアンドロイド・スマートフォンは、二四時間の間に三四〇回、または一時間あたり平均一四回、ユーザーの位置情報をグーグルに送信していた。

この位置情報は、グーグルに送信されるすべてのデータの三五%を占めており、グーグルのクローム(Chrome)ブラウザを使用する待機状態のアンドロイド・スマートフォンは、アップルのサファリ(Safari)を実行しているiOSスマートフォンと比較すると、一時間あたり約五〇倍のデータをグーグルに送り返していた。

待機状態のアンドロイド・デバイスは、iOSデバイスがアップルのサーバーと通信するときの一〇倍近く頻繁にグーグルと通信する。これらの結果は、アンドロイドおよびクローム・プラットフォームが、グーグルのユーザーデータを収集する際の重要な手段であるという事実を表している。

グーグルには、収集された匿名データをユーザーの個人情報に関連付ける機能がある。グーグルは、主に広告識別子(識別のための文字列)などの広告テクノロジーを通じてこの関連付けを行っており、その多くはグーグルが管理している。「ユーザー匿名」といわれ、アプリやサードパーティ（第三者）のウェブページへのアクセスに関するアクティビティ・データを収集する広告識別子は、アンドロイド・デバイスによるユーザーの識別情報をグーグル・サーバーに送ることで、ユーザーの実際のグーグルＩＤと関連付けることができる。

広告識別子は端末を識別するもので、どの端末がどんなアプリを使い、ウェブページを閲覧しているかを記録することが可能となる。これにユーザーの個人データが統合されることで、ユーザーの趣味嗜好に合わせた正確な追跡広告が実行される。こうした広告は、従来の広告と区別して「追跡型広告」や「ターゲット広告」などと呼ばれる。

信念や行動を変える

さらにグーグルは、ユーザーが行うすべての検索と視聴したユーチューブ動画の履歴を保存している。技術の巨人は、グーグル以外のアプリ企業からもデータを購入し、自社が保有するデータと統合する。これらのデータ統合によって、ユーザーの行動の包括的なプロファイルが構築され、それが追跡広告を行う企業に大きな利益をもたらすのだ。アプリ経済は「監視」に基づいている。

大多数の人びとにとって、自分の行動が追跡・監視されているという実感はない。人びとの個人データと引き換えに提供されるグーグル・マップは、普段の交通や不慣れな土地で必須である。実名や写真、出身地から出身校、勤務先などの個人情報を公開すれば、フェイスブックによる想像を超えた「社交」の世界が開かれる。

ほとんどの人は、データの使用を受け入れてサービスをパーソナライズし、関心のある追跡広告が表示されることを望んでおり、規制当局も現実にそれを止めることは難しい。ただし、ズボフの指摘では、パーソナル化と同じプロセスを使用して、テック巨人は人びとの信念や行動も変更可能である。これはズボフの本の主題である。力と支配の大部分が、隠れたシステムの中で作成される。データの抽出と予測から、テック巨人は現実の世界に介入し続けている。

道具なのか武器なのか

「プライバシー保護」か「ポスト・プライバシー」か？　この議論は、その極端な非対称性とともに、デジタル社会の今を浮き彫りにしている。情報技術（IT）は社会の問題を解決し、私たちの生活を豊かにし、少ない労力で多くの利便性を実現しているのか？　それとも、私たちの生活にさらなる複雑さをもたらし、私たちを分断し、プライバシーを脅かし、仕事を奪い、多くの害を生み出すのか？　テクノロジーは道具なのか武器なのか？　ごく最近まで、ほとんどの人の答えは前者だった。テクノロジーは、私たちの生活と社会を改善する価値のある道具だということである。

しかし、ここ数年、特に経済的、社会的被害の深刻な原因として、シリコンバレーの「テック巨人」を名指しで攻撃する風潮が加速し、テクノロジーへの関心は大きく変化している。「テックラッシュ」(techlash)と呼ぶ現象は、大規模なテクノロジー企業だけでなく、ITに根ざした破壊的なイノベーションの原動力とそれに対する恐怖を指している。

二〇一八年、「techlash」という用語が、オックスフォード辞典の「ワード・オブ・ザ・イヤー」の最終候補に選出されたとき、この用語は「大規模なテクノロジー企業が持つ影響力の増大に対する否定的かつ強力な反応」と定義された。それは、少数の大手テクノロジー企業だけでなく、テクノロジー自体、特にITに対する否定的な反応を意味していた。実際、顔認識技術、人工知能（AI）、自動運転車などの技術に対する批評家の反発は、それらを生み出した企業だけではなく、先進テクノロジーに対する厳しい意見の反映だった。

一方、一般の人びとは現代のスマートテクノロジーにおおむね満足している。その理由は、消費者がスマホを愛し、記録的なレベルでソーシャルメディアを使用しているからだ。テックラッシュは、継続的な技術革新に対する反発としてだけでなく、それを阻止するように設計された政策にも反映される。この傾向は、欧州連合（EU）による一般データ保護規則（GDPR）や米国カリフォルニア州の消費者プライバシー保護法（CCPA）の制定などで勢いを増している。

ディストピア的反論

テックラッシュは最近だけの現象ではない。ITが主に前向きで解放的な力と見なされていた時期でさえ、悲観論を促進する専門家の存在という底流があった。アメリカの経済理論家であるジェレミー・リフキンは、科学、技術の変化が経済、労働力、社会、環境に与える負の影響に関する二一冊の本の著者として知られている。

ITの政治的および社会的影響を研究するアメリカの作家・研究者であるエフゲニー・モロゾフは、『ネットの妄想：インターネットの自由の暗黒面』（The Net Delusion: The Dark Side of Internet Freedom／二〇一一年）

という著書で、インターネットが権威主義体制を民主化するのに役立つという一般的な見方への懐疑論を展開し、インターネットは大規模な監視、政治的抑圧、およびナショナリストと過激派のプロパガンダの普及に役立つ強力なツールであると指摘した。彼はまた、「インターネットの自由」と呼ばれる風潮を批判し、ウェブを通じて民主主義を促進するという目標は、逆効果であると主張した。

イギリス系アメリカ人の起業家であり作家であるアンドリュー・キーンは、現在のインターネット文化に潜む懸念を表明し、彼の著書『インターネットは自由を奪う――〈無料〉という落とし穴』(The Internet is not the Answer/二〇一五年)で、インターネットの心理、経済、社会への影響を紹介し、インターネットが発展すればするほど、それを使用する人びとにとっては有害であると主張した。

一九八〇年代後半にバーチャル・リアリティのパイオニアだった技術文明の批評家ジャロン・ラニアーは、著書『Who owns the Future』(二〇一三年)で「誰が未来を所有するのか」と問いかけ、テック巨人が世界を支配する脅威に警鐘を鳴らし続けている。これらの評論家たちは、テックラッシュに関する議論の知的基盤を築くために精力的に活動してきた。彼らは、ITに対するユートピア的な主張に対し、明らかにディストピア的な反論を唱えてきた。

テックラッシュが世界的潮流となったのは、ロシアが二〇一六年の米国選挙を妨害するためにソーシャルメディア・プラットフォームを使用したとする疑惑や、データ分析会社ケンブリッジ・アナリティカが約八五〇〇万人に及ぶフェイスブックの個人データを政治目的で悪用したとの告発、グーグルが世界のネットユーザーを支配しているということで、ＥＵと米国政府から独占禁止法違反により多額の制裁金を科された一連の流れによって加速してきた。

さらにブラックボックス化するＡＩの脅威、自動運転車などの新技術が差し迫ったものとなったことで、テクノロジーへの脅威とパニックは並行して広がってきた。

監視資本主義のトリック

大規模なインターネット企業に対する最も一般的な批判は、先に触れた「監視資本主義」に集約された。前出のハーバード・ビジネススクール教授、ショシャナ・ズボフは次のように述べている。

「監視資本主義は、人びとの行動データを抽出するために、無料の原材料として人間の経験を一方的に収集する。これらのデータの一部は製品またはサービスの改善に利用されるが、残りのデータは企業の余剰行動や分析として正当化され、『マシン・インテリジェンス』と呼ばれる高度な製造プロセスに送られ、ユーザーが何を求めているかを即時に予測する製品に加工されるのだ」

多くの批評家によるテックラッシュは、企業が数十億人の個人データへのアクセスと引きかえに無料のサービスを提供する「トリック」を暴く。批評家たちの一般的な意見は、「あなたがお金を払っていないなら、あなたは顧客ではなくあなた自身が企業の製品である」というものだ。政策立案者は、これらの懸念に応えて、EUのGDPRから二〇二〇年一月に施行されたカリフォルニア州の新しいプライバシー法まで、プライバシーに関するより強力な規制を推進している。

監視資本主義は消費者を制御するために大量のデータを収集する企業の戦略だというズボフの主張は、多くの企業が顧客データを使用する本来の目的を無視しているという批判を生む。データは、企業にとって最善の意思決定を促し、生産性を高め、カスタマイズされたサービスを提供するためにあるという企業側の主張である。

消費者データ売買

多くの企業は、実際には消費者データを「販売」していないと主張しており、ほとんどのプラットフォームは、個人データを広告主に販売するのではなく、その情報を管理し、広告主にユーザーへのアクセスのみを販売する。広告主は、他のオンラインサービスの使用など、地理的な場所、特定の関心や特性、行動などのいくつかの要因に基づいて、消費者にリーチするために対価を支払うのだ。

例えば広告主は、大都市圏で政治に関心のある男性にリーチするためのデータを購入することができる。ただし、これらの広告主は、個々のユーザーにスポット広告を表示する権利だけを得る。そして、広告主は、広告が都市圏で、例えば五〇〇人の男性に到達したことを確認できる。

これは、データブローカーが、レイプ被害者や遺伝病の人のメーリングリストを販売するなど、消費者への通知なしにデータの悪用や販売を行うケースがまったくなかったということではない。これらの事例は、平均的なデータ経済の典型的なデータ収集と共有の慣行を表すものだと断定はできないが、データ共有の正しい方向をめざす企業活動が、GDPR以後の欧州から生まれつつあるのも事実である。

個人データの使用料金

膨大な量の個人データを収集する企業活動が、そもそも消費者のプライバシー侵害であるとする見解もあるが、このデータ収集は消費者のプライバシーを損なうためではなく、デジタル時代における消費者が企業との間で実質的な取引に応じている結果だと主張する人たちもいる。当然、個々人のデータは、それと引き換えに得られるサービスよりも価値があるという主張もある。

米国の上院議員ジョシュ・ホーリー（共和党）やマーク・ワーナー（民主党）などは、データの推定価格を消費者に伝えることを企業に強制する法律の制定を推進している。企業は個人データを収集し、そこから利益を得る過程で、各企業にとって個人データの推定価格を明らかにしなければならないという法律である。他の政策立案者は、政府は消費者に彼らの個人データに対する財産権を与えるべきだと主張している。

また、ニューヨーク・タイムズのジャーナリスト、エドアルド・ポーターは、「インターネット企業は、ユーザーにデータの使用料金を支払う必要がある」と主張する。「データ経済が構築されることでデータの品質も向上する」という考えは、カリフォルニア州知事ギャビン・ニューサムが、企業はユーザーにデータの代金を支払うべきとする「データ配当」を提案する動機にもなった。

理想的には、ユーザーは個人情報を提供せずに無料のサービスにアクセスしたいと考える。しかし、企業は収入を得ずに商品やサービスを提供することはできない。収入は、顧客からの直接支払いまたは広告主とスポンサーからの間接支払いのいずれかで発生する。データが「通貨」なら、私たちは企業にデータという対価を支払っていることになる。ただし、実のところ個人データの価値や値段は驚くほど低い。なぜなら、インターネット上の「個人」とは、友人、知人が連鎖する膨大なネットワークのことであり、そのビッグデータにこそ価値が生じるからだ。

資本化される行動データ

ＩＴが成熟し、新しい技術革新が出現するにつれて、新しい問題も発生する。これは、すべてのテクノロジーが歴史的に通過してきたことでもある。自動車が最初に登場したとき、人びとの感情は興奮にあふれ、社会に優れた交通手段をもたらすという強い確信があった。しかしその後、安全性、大気汚染、および道路混雑などの問題が生じた。

世界中の人びとにとって、これらの問題解決は、クルマ自体と米国の自動車メーカーである「ビッグスリー」を悪魔化することではなかった。問題（公害防止、より安全な車や道路など）に対処するための適切な政策を推進しながら、依然として自動車産業の競争力、革新を可能にしてきた。今後、数兆ドルの収益が見込まれているデータ経済の展望には、自動車産業の歴史がモデルになるかもしれないとする楽観論もある。

しかし、Ｔ型フォード以来の自動車産業、いわゆる経営資本主義と現在のデータ経済を先導する監視資本主義には決定的な違いがある。経営資本主義では自然資源や機械技術が資本であったが、監視資本主義はわれわれ人間が生み出す行動データをその「資本」に組み込んでいる。憂慮すべきは、データとなった人間が資本家の思うままに操作されることである。テックラッシュは、テクノロジーの進化の舵取りに不可欠な警告なのである。

究極の技術

人びとの行動を操作し、特定の方向に導くことは究極の技術である。ショシャナ・ズボフは、人間の行動を形作る用語を「アクチュエーション」(作動)と呼ぶ。監視資本主義は、このアクチュエーションを追求して、人びとを特定の方向の行動へと向かわせ、修正および操作する。それは各人に見合うニュースの見出しや表示のタイミングから始まって、いずれは保険料の支払いが遅れた場合に自動車エンジンを停止させることや、通信料が未払いだとスマホにロックがかかることも予想される。

エンジンが停止される恐怖から、保険料を支払う義務は強化される。電気自動車や自動運転車の先行企業であるテスラのクルマでは、購入者の「自由」は大きく制限されている。クルマは自動車会社や保険会社など、複数の所有権や管理システムに組み込まれ、個人の所有物ではなくなっている。デジタル社会の所有権や著作権は、かつての権利とは大きく異なっている。人びとはすでに監視資本主義に従属する存在なのだ。

大多数の人びとは、些細なプライバシーを放棄しても、日常生活に支障があるとは考えていない。ネット上を行き来するデータ・プライバシーは私たちの断片（部分）から生じるデータに過ぎず、私たちの生身の身体や意識（全体）とは別物で、せいぜい追跡広告やフェイクニュースが届くだけだと、多くの人は楽観的に感じている。

「ホレリス・パンチカードはすべてを見ている」と謳う1934年頃の「Dehomag」(IBMのドイツ子会社)のポスター。ドイツ技術博物館収蔵。アメリカの発明家ハーマン・ホレリスはパンチカードを使用し、数万のデータから統計情報を迅速に集計する電動作表機を開発。ナチスの国勢調査、ユダヤ人の特定、追跡に利用された。

双子

プライバシーの死の先

ここまで何度も触れてきた「ポスト・プライバシー」論は、プライバシー保護という古い価値観から脱却し、秘密を持たない透明で公正な社会をめざそうという主張である。この新しい価値観に人びとは動揺し、プライバシーという旧弊の呪縛から逃れるべきかを考慮する。しかし、今一度立ち止まり、「プライバシーの死」を受け入れることの真のリスクを精査しなければならない。

本書を通じて、プライバシーという概念をめぐる筆者の思考も揺れ動いてきた。「プライバシーの死」は肯定できるのか？　これが、本書の当初から念頭にあった問いである。勢いづくポスト・プライバシー論の背景には、人間という概念のアップデートを迫り、人間はテクノロジーと合体すべきだと謳うトランス・ヒューマニズムの世界観が横たわっている。

現実の生身の人間の行動データは、デジタル経済にとって最重要な資源となった。無尽蔵とされた天然資源の採掘と消費が地球環境を激変させているなか、資本主義は、石油を超える「資源」を探してきた。現代のデジタル経済の原資こそ、地球上の人びとが生成する無尽蔵のデータである。人類のデータ収集能力は、現状のデジタル資本主義の原動力であるばかりか、人工知能（ＡＩ）やロボットが、人間を超えて未来を切り開いていくための基盤となった。

ユーチューブと陰謀動画

ユーチューブは、世界で一五億人以上のユーザーを持つ新しいテレビであり、世界中の人びとの思考に大きな影響を与えている。憂慮すべきことは、日々増え続ける動画には、しばしば分裂的で誤解を招く虚偽のコンテンツが大量に含まれていることだ。

視聴時間の最大化を目指すユーチューブは、機械学習ベースのコンテンツ推奨アルゴリズムを採用している。ユーチューブのアルゴリズムは、過激で陰謀的な動画を各個人に推奨することで、視聴時間の最大化という目的を達成しようとする。そうした動画は視聴者数が増大するので、当然、各人への「おすすめ動画」に入り込んでくる。「月面着陸」の動画は、「人類は月には行っていない」、「月からの中継映像はスタジオで撮影された」とする動画につながり、新型コロナウイルスを報道するニュース動画には、ウイルスは「人工的な生物化学兵器」だとする陰謀論の動画が続く。動画の真偽は不明のまま、私たちは「ポスト・トゥルース社会」を生き抜くことを強いられる。

その結果、ユーチューブのアルゴリズムは、人びとの対立を煽り、過激化させ、虚偽情報の氾濫により真偽を判断する能力を失効させる手段となっている。その闇の中に、人びとを洗脳し行動変容を促す動画が忍び寄ってくる。人びとは世界中で毎日一〇億時間以上、ユーチューブを累積的に視聴しており、これは二〇一二年の一〇倍である。その成長の背後にあるのは、パーソナライズされたプレイリストを作成するアルゴリズムである。ユーチューブでは、これらの推奨動画が視聴時間の七〇％以上を稼ぎ出している。ユーザーが自ら求めていなくても、陰謀論や極端な政治党派的な視点、偽情報を特徴とする動画にユーザーは導かれていくことになる。

人心操作と情報臓器

ここまで考察してきたデジタル・アイデンティティ問題では、物理世界とデジタル世界が互いに分離・独立しているのではなく、相互に侵食し合う関係にあることを見てきた。デジタル・プライバシーこそ、現実の世界を生きる「私」に深く作用するからだ。

デジタル・プライバシーは、私たちが保有する生身のプライバシー感覚を超えて、ネット上で予想外の働きに変化する。「私」を取り巻くデータは、他のビッグデータとのジグソーパズルのような解析ゲームに投入されると、個人の身元や購買履歴を割り出し、ユーザーが次に何を購入したいかを予測する。しかしこれでは終わらない。

次に起こることは、ユーザーに買わせる商品を特定し、その商品の購入をユーザーが確信するように「人心操作」を実行することだ。追跡広告を便利な機能だと思っている人たちは、このトリックに気づかない。商品やサービスの購買行動、そして次の選挙の投票行動までが操作される。監視資本主義は、リアルな物理世界での「私」に働きかける巨大な権力なのだ。

それは、「私」の将来の行動や心の動きまでも、アルゴリズムを統括するデータ資本家によって思いのままに操作されることを意味する。そうした恐怖は、不可視で実感すらない。だから、見えない恐怖を指摘しても、今、ネットとともに幸せに暮らす人びとに、緊急の危機感は伝わらない。

技術は本当に私たちを幸福に導くのか？　私たちはそれを何度も問い続ける時代に生きている。技術が進化することとプライバシー保護との関係は、より複雑さを増している。キッチンや居間にある音声応答機器が、あなたの一言一句を監視し、スマホはあなたの情報臓器であるばかりか、刻々と変化するあなたが何者なのかを、企業に知らせるデータ収集装置となっている。

アマゾンの音声対応ＡＩアシスタントであるアレクサ（Alexa）の稼働を監視するために、実際の人間を雇って人びとのプライバシーに介入しているという内部告発者による証言も衝撃的だった。カップルが愛を交わす会話にも、聞き耳を立てていたという事実でさえ、ポスト・プライバシー派は問題ないと言うのだろうか？　我々は喜んで監視装置をポケットに入れて持ち歩き、自宅に設置する。プライバシーの将来はますます脆弱になる。その最大の要因は、今日の「プライバシー」が何を意味するのか、誰も正確には理解できないからだ。

デジタルツインの意義

リアルな「私」がデジタル上の「私」をコントロールすることは可能なのか？　データ・プライバシーは、リアルな「私」を超えて監視の網に捕獲され、私の意思にかかわらず、監視アルゴリズムの原材料となっている。これにより、私たちには見えないリスクが生じていく。それを回避する手段はあるのか？　その可能性を示す技術のひとつが「デジタルツイン」（Digital Twin）である。

デジタルツイン技術は、すでに産業工学、都市交通、顔認識、医療分野に存在している。このシステムは製品の製造工程や出荷後の管理をリアルタイムで監視し、システムに障害が発生する前に予測する技術として知られている。それは、工場や製品などに関わる物理世界の出来事を、デジタル上にリアルタイムで再現する。

実際に製造する工場や出荷する製品を、システム上の双子のようなシミュレーション空間において構築し、現実の工場の制御や修理などを容易にする手法である。次世代のものづくり、モノのインターネット（ＩｏＴ）における重要なコンセプトであり、ドイツで提唱された「インダストリー４・０」の基幹技術でもある。

この技術コンセプトから、ヒトの個体をデジタルな双子と共存させることで、私たちの健康管理や意思決定を支援するのが「パーソナル・デジタルツイン」（ＰＤＴ）である。将来、個人の正確な意思決定を支援し、スマホと統合され、アレクサや他の音声応答機器を介して実用化されると考えられている。

将来、個々人と共存するＰＤＴは、私たちが実際の生活を送るときに生成する膨大なデータの収集によって活性する。私たちのオンライン・ライフは、睡眠パターンや食習慣、交友関係の追跡、お金の使い方まで、生活のあらゆる領域でより詳細なデジタル・データを生成し、ＰＤＴはそれらのデータを機械学習することで、アルゴリズムは「私」に限りなく近づき、生命感までをも獲得するかもしれない。

個人データのパターンと傾向を識別して将来の結果を正確にモデル化し、ますます進化する予測アルゴリズムと組み合わせると、デジタルツインは個人の未来を探索するための強力な意思決定ツールになる。システムに入力される個人データが多いほど、模倣された「自己」はより正確になる。

人びとは、スマホやアレクサの中の「自分」には、データ・プライバシーを惜しげもなく差し出す。なぜなら、それは自分自身の投影だからだ。常に適切な判断と、決して「私」を裏切ることのない「ツイン」は、ネット上で旺盛に活動し、新たな「友人」を私に紹介し、私のさまざまな行動を支援する。いずれPDTが、人生最良の伴侶となるかもしれない。

ヘルスケア革命の鍵

こうした物理世界で生きる個人の「双子」がデジタル世界に登場することで、最大の恩恵が生まれるとされる分野が、欧州でのヘルスケア革命とデータ保護の分野である。

欧州委員会はドイツ・ベルリンのシャリテ医科大学を中心にしたPDTの開発と運用を、次代のヘルスケア革命とEUのフラッグシップ政策と位置づけ、二〇一九年に欧州委員会肝いりのプロジェクトとして承認、一〇億ユーロ（約一二〇五億円）の資金投下を約束した。

このプロジェクトは予防医学分野の革新であるだけでなく、デジタル上のツインを個人のデジタル上の決定権である「自己主権」の要であると位置付ける。

近い将来、現状のテック巨人が私たちのデータ・プライバシーをほぼ独占的に収集する環境が変化し、個々人がブロックチェーン技術などを実装して企業に個人データを能動的に提供することで、企業からその見返りとなるサービスを手に入れるという「契約」が成立する。

そのとき、生身の「私」がデータ・プライバシーの管理と運用を行うには膨大な契約業務をこなす時間が必要となり無理が生じる。そのため、デジタルツインに個人データをどの事業者に提供するかなどの判断基準をあらかじめ設定し、ツインがネット上で事業者などとやりとりする。これにより、個人のプライバシー保護を確実なものとすることが期待されている。

このプロジェクトの本丸は、ＥＵ市民の医療費削減を可能とするデジタルツイン技術を標準化し、ＥＵ市民五億人のツインを作成することだ。ＥＵはＰＤＴの作成を通じて、市民と社会双方の利益を目指している。

1999年、ドイツの国会議事堂中央に設置された屋上ガラスドームは、議会、政府の「透明性」を象徴している。設計はノーマン・フォスター。

秘密

権利と義務の均衡

一八世紀のフランスの哲学者、歴史家ヴォルテールは、神の権威をまとった聖職者の権力と戦ったが、彼自身は無神論者ではなかった。ヴォルテールにとって、神は社会を導くために不可欠な道徳的権威だった。神という道徳的権威が人間を導き法に作用する。後に人権や基本法が生まれた理由の核心もここにある。

ヴォルテールは「もし神が存在しないなら、人は彼を発明しなければならない」と言った。今、私たちに「プライバシーが存在しないなら、我々はプライバシーを発明しなければならない」のだ。

しかし、プライバシーは人権である以上に個人が守るべき「義務」であることを、人びとが自覚できるための法制度なしには、人びとがプライバシーを保護し続けることは困難なのだ。納税が国民の権利であると同時に義務であると表現されるように、権利と義務は均衡の関係にある。権利のほうが義務より重いとか、義務が権利より勝るということではない。重要なのは、権利と義務がどこに向かって作用するかである。権利と義務は作用する方向が違う。人びとの内に向かえば義務となり、社会へ向かえば権利となる。権利と義務は、必然的にその均衡のバランスによって成り立つ。

私たちは「データとなった人間」の未来を、今後も注意深く見続けていくことになる。

愛・秘密・プライバシー

プライバシーの多くは秘密の領域に属している。誰でもそれぞれの理由で、秘密にしておきたいことはいくつかあるだろう。墓場までその秘密を持っていく人もいる。しかし、墓場に持っていく前に、その秘密の断片を愛する人に打ち明け、あるいは何らかの秘密の糸口を誰かに伝えることで、人はこの世の重荷を少しだけ軽くする。

自分自身をこの世から消したいと思う人にとって、秘密やプライバシーは最も消せない自分である。同時にそれは、唯一、この世とつながるための糸口でもある。この世に自分がいたという足跡がプライバシーであり、それ自体を否定できないのは過去を消せないのと同じだ。しかし、そのことが自分という存在の証だとしても、それを否定することでしか安堵を見いだせないなら、プライバシーや秘密から開放されたいと願うこととなる。これもプライバシー・パラドックスの一例である。

男女が別れる局面はさまざまである。愛する気持ちが消えた、あるいは他に好きな人ができたなど、理由はさまざまである。しかし、一方が突然、相手との連絡を遮断し、なかば失踪した状況の場合はどうだろうか？　一方的に、別れを告げる明確な言葉もなく、ただ沈黙を押し通す当事者は、相手との過去の痕跡や思

Jim Heimann Collection/Getty Images

全裸の男。自室にて。1950年代。

い出すら消そうとする。

この場合、男女どちらかにとって、あるいは両者にとって、無言の別れは大きなトラウマを抱え込む事態を引き起こす。痛みや憎しみ、そして自分を支えるプライドだけが、一方的に消えた相手への思いを断ち切る手段となる。痛みとプライドがあるからこそ、別れるふたりがそれぞれの道に向き合い、いずれ友人として再会できるのも、痛みからそれぞれの新たなプライバシーが生まれるからだ。

残された男女それぞれに事情は異なるにせよ、お互いが時と場所を共有した記憶さえも放棄したいという強い願望に裏打ちされている。ＳＮＳで相手をブロックし、メールや電話にも応答しない人の心理は、まさにブロックする相手が自分のプライバシーの共犯者だからである。

恋愛関係の絶頂では、このプライバシーをめぐる共犯関係こそが愛の証となりうる。蜜月時代には、互いのプライバシーは共有され、時に多くの秘密も共有される。これにより、自分のことを最も理解してくれる理想の伴侶の存在が認知され、愛は確かなものに昇華される。一生を共に過ごすと約束できるのも、互いのプライバシーが透明な共有地だと確信できたからだろう。

しかし、時が経つにつれ、残酷にもプライバシーの共有地が幻想へと変化する。互いが社会の同調圧力を意識し、それぞれの個は、やがて自らのプライバシーを持ち、透明な共有地からの自立を求めるようになる。その時、互いの変化を察知しながらも、平穏な関係の持続に互いは努力する。だが、これが永遠に続くことはない。なぜなら、プライバシーは、他者が知り得ない、介入できない個の占有物であるからだ。

時を重ね、人生の歩みを共有する人たちが、互いの愛を確信し合うのは、この個々の占有物であるプライバシーを共有できているという錯覚の中で生まれる。これを一生貫ける人もいれば、熟年離婚のように、相手との秘密の共有に耐えられず、自分の道を選択する人も多い。つまり、愛とは別な言葉で言えばプライバシーであり、秘密の共有なのだ。

最後の課題

プライバシーが個人の占有物であることは、「私」を成り立たせる基盤である。これこそが、将来のデジタルツインを見通す上で重要となる。

プライバシーや秘密の呪縛が個人にとって大きな重荷になることもある。知らなければよかった自分の出生の秘密、性的虐待、人生の汚点、若気の過ちなど、思い出すだけでおぞましい秘密もある。そうした重荷から解放されるためには、プライバシーを一旦外に吐き出し、クリーンにできないものか？　そう考える人もいる。だから、自分の存在を消したいのだ。しかし、この選択は死を呼び込むことにもなる。プライバシーのために傷つき、与えられた人生を自ら死をもって消そうとする人びとは、特に若年層の間で飛躍的に増加している。

この場合、共有されたプライバシーではなく、各自の自律したプライバシーや秘密が生身の身体や意識にまで深く作用していることになる。デジタルツインがあと十年もすれば、私たちのスマホの中で生きていることになるだろう。そのとき、私を一番よく知る実体なきデータの生命は、私とどう関わり、私という存在の何を変えるのか？

プライバシー・パラドックスは、さらに深い闇の中にさまようのか？　それとも恋人や夫婦が分有していたプライバシーの共有地という幻想を補正することができるのか？　そろそろ最後の課題と向き合う必要がある。

私の占有権

自身の占有物であったプライバシーや秘密さえ、人工知能によって解読されてしまうとすれば、私たちには秘密という聖域もなくなるのか？

秘密は時に残酷な痛みを伴う。だから可能な限り、自分の記憶から秘密は消したいと願う。しかしそう簡単に消えるものではない。だから自分の中のブラックボックスに秘密を預け、金庫の鍵をかける。その鍵の隠し場所も秘密となる。隠し場所を忘れたら、秘密は永遠をさまようことになる。

書店で本を買うと、あなたはそれを所有する。あなたはそれを家に持ち帰り、余白に落書きをして、棚に置いて、友人に貸すこと、ガレージセールで売ることができる。しかし、あなたが購入した電子書籍やその他のデジタル商品についても同じことが言えるだろうか。ましてプライバシーとなると、ことは厄介だ。

小売業者および著作権者は、あなたはデジタル製品を所有しているのではなく、単にライセンスを付与されているだけだと主張する。所有権の概念がデジタル市場でどのように変化したかを探り、私有財産の利点について議論する必要がある。最も重要なのは、私たちの自己主権と自律性を肯定することである。

アーロン・パーザナウスキーとジェイソン・シュルツによる『オーナーシップの終焉：デジタル経済における個人のプロパティ』（The End of Ownership: Personal Property in the Digital Economy／二〇一六年）は、デジタル時代の所有権がいかに変化しているかを解明した。所有権と財産権は、現代の資本主義経済の前提条件であり、資本・労働・賃金が市場交換のための基盤を確立してきた。デジタル経済では、消費者の財産権に付帯する権力はますます低下している。同時に、企業にとっては、商品やサービスの生産価値をより多く管理できるようになっている。この展開がこのまま持続すれば、いずれ許容できない問題を生じさせる。

現在の課題は、消費者を保護し、進化するデジタル経済に追いついていない関連法の枠組みや規制を改革するソリューションを見つけることである。事実、法律と技術の組み合わせは、厳格な知的財産の規制と技術的なロックによって、企業が消費者の購入した製品を持続的に支配し、消費者の自由意志を制御する傾向を強化する。

所有できない

もちろん、私たちは消費するすべての製品を所有する必要はないが、シェアやライセンスが理にかなっている場合、消費者の「購入」は一時的であることを顧客に伝える必要がある。「購入」という言葉は、「ライセンス」や「シェア」、「サブスクリプション」など、新しい現実に適応するより正確な語句に置き換える必要が生じている。最も重要なことは、デジタル経済におけるオーナーシップの変更を簡潔に説明することなのだ。

『所有：財産、プライバシー、および新しいデジタル農奴制』（Owned: Property, Privacy, and the New Digital Serfdom／二〇一七年）を書いたワシントン・アンド・リー大学法学部教授のジョシュア・フェアフィールドは、スマートテクノロジーと法律の交差点についての説得力のある考察で、デジタル所有権の危機について説明する。私たちは、スマホはもちろん、自分の「スマート」なクルマや家電を「所有」できない時代を迎えている。

今後一〇年間で、私たちが所有権を取り戻さなければ、自動運転車やソフトウェアで管理される「家庭」も同じことになるだろう。私たちは、ソフトウェアや広告会社の所有物となり、政府の管理下におかれることは言うまでもなく、デジタル農民になる危険性さえあるとフェアフィールドは指摘する。所有権の喪失、プライバシー権への影響、そしてその両方のコントロールを取り戻すにはどうすればよいのか？

シェアと農奴

二〇二〇年七月二九日、アップルCEOのティム・クック、アルファベットCEOのサンダー・ピチャイ、フェイスブックCEOのマーク・ザッカーバーグ、アマゾンCEOのジェフ・ベゾスが議会で証言した。議会はこれらの企業が公正な競争を抑制し、消費者にどのような害を及ぼしているかを調査している。私たちのデータ・プライバシーは誰のものなのか？　GAFAによって収集された私たちのプライバシーの独占的濫用を米国議会は見逃さず、彼らに相当なプレッシャーを与えた公聴会だった。

フェアフィールドが指摘したように、一五世紀の「中世」に逆行する現代社会とは、かつての領主制と農奴の関係に似ている。デジタル所有権とは、かつて君主から土地を割り当てられた農民を支配する力に等しく、シェアリング・エコノミーは「所有権」を放棄した中世化する世界への入り口となる。

あなたのデジタルツインを所有しているのは誰か？　あなたではない場合、なぜこれが大きな問題なのか？　デジタルツインは、すでに産業工学、都市交通、顔認識、医療分野に存在し、システムはリアルタイムで監視され、システムに障害が発生する前に予測する技術として知られている。工場や製品などに関わる物理世界の出来事を、デジタル上にリアルタイムに再現する。実際に製造する工場や出荷する製品の双子のようなシミュレーションをシステム上に構築し、現実の工場の制御と管理を容易にする手法である。次世代の都市開発、ものづくり、ＩｏＴにおける重要なコンセプトであり、インダストリー４・０を支える技術である。

一〇年後に早送りすると、私たちにはみな「双子」がいる。インターネットにアクセスする人は誰でも、自分自身の「デジタルバージョン」をいくつか持つことになる。データパターン（写真、経歴、オンラインでの行動）は、プラットフォーム間で、あなた自身の関与なしに、シームレスかつ効率的に送信されるようになり、まとまりのあるナラティブが生まれる。

あなたのデジタルツインは完全なプロフィールとなる。それは、夏休みの写真や、最近のオンライン・ショッピングの履歴を集めただけのものではない。第三者から入手したデータに加え、企業が自社のウェブサイト以外で記録された個人データも合わせた包括的なプロフィールが独り歩きしている。デジタルツインは、私たちにサービスを提供するインターネットとオンライン・プラットフォームの成長を牽引する。

あなたの「鏡の、影の自分」を所有することで、企業はあなたの影に隠れて、広告の二次市場を通して、「あなたの企業向けバージョン」を貸し出し、販売し、その他の方法で収益化する。もし、あなたのことを一番良く知る恋人が、企業にあなたのプライバシーを売っていたらどうだろうか？　それを容認できる唯一の方法があるとしたら、その行為があなたの了解の下でされている必要がある。

デジタルツインを自ら所有する

今のところ、企業は自分の利益のために私たちの個人データをどう利用できるかについて、法的な制限をほとんど受けていない。企業が保有する私たちのデジタルツインは、事実上、彼らがやりたいことをするためにいくらでも役立つものとなっている。デジタルツイン（デジタル自我）を私たちが自ら所有すべき理由は、少なくとも四つある。

第一に、私たちのデジタルツインは私たち自身の延長だということ。ツインは、私たちが個人であること、私たちがどのように時間を過ごすか、何が好きで何が嫌いかなど、私たちの好みと特異性を反映する。

ピカソの作品を写真に撮っても、それはやはりピカソの作品である。あなたが美術館でこっそり写真を撮ったからといって、あなたがその絵を所有しているわけではない。同様に、恋人や友人に個人的な秘密を打ち明けても、それはあなたの秘密である。しかし、誰かがそれを広めたり、売ったりしているかもしれない。あなたが自らの秘密を公表したときに、それは誰か第三者が所有する情報だと、権利を主張されることをあなたは予想していない。

第二に、私たちのデジタルツインに対する支配は、誰も奪うことのできない権利であり、そこには「人生、自由、幸福の追求」がある。私たちは、毎日長時間働くことができるが、自由を放棄することは決して期待されていない。雇用主が何を求めても、契約条件に従う限り、私たちはいつでも立ち去る権利がある。私たちは自由を失う可能性はない。とはいえ、ほとんどの人は時間を給料と交換し、その際にある種の「贅沢」を自発的に放棄している。

しかし、私たちは法的に、私たちの自由や自己の権利を雇用者に譲ることを強制されているわけではない。私たちの雇い主は、私たちを投獄したり奴隷にしたりすることはできない。彼らは私たちを「所有」することはできないのだ。デジタルツインを売ることは、自分を売ることと同じように強制されるべきではない。それは交渉され、公正で、自由に締結されるべきである。

第三は、もし私たちがデジタルツインの所有権を明確にし、奪うことのできないものとして確立するなら、私たちは社会の参画者として、既存のサービスに代わる有意義なサービスの開発を奨励する。ソーシャルプラットフォームやサービスに代わる可能性のあるものへの参入障壁の主な理由は、それぞれの既存の会社がすでに多くの領域で情報をコントロールしているからである。各企業はそれぞれの分野を独占しており、私たちのデジタルツインのほとんどの部分をすでに所有している。

四番目に、私たちのデジタルツインは私たち自身の努力の成果である。私たちは自身のプロファイルに多大な時間とエネルギーを投資している。どの写真をアップロードするか、誰と情報を共有するか、他の人の投稿に何をコメントするかを決定している。つまり、デジタルツインを作ることは、実際には創造的な行為である。

データトラスト

欧州委員会（EC）は二〇二〇年二月一九日、米国、中国とは一線を画す「デジタル主権」の確立を目指し、欧州データ戦略および人間中心主義の人工知能（AI）開発政策について発表した。今後五年間、EUデジタル戦略として次の三つの目的に焦点を置くことを明らかにした。

・人びとに役立つ技術
・公正かつ競争的な経済
・開放的、民主的および持続可能な社会

これにより、個人データの保護を重視する従来のデータガバナンス戦略（GDPR）を進化させ、市民の個人データの共有（データコモンズ）を促進するトラスト・プロジェクトを二〇二一年までに立ち上げるという。

この新戦略は、欧州連合（EU）が重点施策として、個人のプライバシーを保護するだけでなく、データ共有を市民の自己主権として促進することを示している。具体的には、データトラスト（データ信託）と呼ばれる仕組みにより、個人データの欧州単一市場を創設する。データトラストは、市民のデータを市民に代わって管理し、顧客であるそれらの市民に対して信認義務を負う管理機構である。

パラダイムシフト

私たちのエネルギーが創造に注がれたなら、創造物は私たちのものである。画家が、自分では作れない商業的な絵の具を使用するからといって、絵の具会社が彼の作品を所有しているわけではない。彼はその絵の具の使い方を決定したが、その決定は彼自身のビジョンとアイデンティティを極めて個人的に反映したものである。絵画の所有権が画家のものであるのと同じように、デジタルの所有権が創造者のものでないのはなぜだろうか?

デジタル情報をどう考えるかというパラダイムシフトが必要である。私たちは、すべてのデータが私たち自身の影を構成していることを明確にする必要がある。そして同時に、私たちはそれぞれ、私たち自身の影に対する譲渡可能な権利を持っている。

企業は私たちのデジタルツインに対する所有権を持つことはできない。企業は、必要なデータを収集する許可を私たちに求めなければならない。ユーザーが企業にその許可を与えないからといって、サービスが停止される根拠にはなり得ない。

最も重要なことは、デジタルツインがプラットフォームやサービスを超えて容易に転送されるようになるためには、さまざまなメカニズムを迅速に実装しなければならないという点だ。そうすることで、私たちのデジタルツインの権利はより意味のあるものとなり、この分野での競争、選択、革新がより可能になる。

政府のリーダーシップに対する信頼が低下した国でさえ、パンデミックの極端な影響は、ガバナンスに対するあらゆる種類の実験的アプローチの「正当化」につながりかねない。数年の間にCOVID-19は、実証的な証拠の有無にかかわらず、ほとんどすべてのことに関する、公的および私的な決定の口実となると懸念する声も多い。

スマートシティ技術やDXが、適切なチェックなしに実行されれば、技術的なディストピアに転落するリスクがある。ドイツのドルトムント工科大学の名誉教授で、空間計画研究所（Institute of Spatial Planning）の元所長であるクラウス・R・クンツマンによると、通常の都市サービスのデジタル化から、ユビキタスな都市監視システムまで、スマートシティは予想以上に急速に実現するだろうと指摘している。今後一〇年、インターネット・ユーザーは、中世の農民のように、呪術と魔術の間をさまよっていくのだろうか？

魔術

予言者グレタと魔術的中世

一九八〇年代の映画『ブレードランナー』とウィリアム・ギブソンのサイバーSFノワールが、その後の二〇年から三〇年の「未来」を支配してきた。インターネットとデジタル技術には、サイバーパンク作家の超近代的で超資本主義的なビジョンが反映されていた。しかし、今やそれは過去のビジョンとなった。

凍った北欧の果てから、古い世代の虚栄心を非難し、大惨事が起こることを警告し、王や女王と対決するためにやってきた予言者の少女、グレタ・トゥーンベリの登場が、すべてを変えた。現代のネットユーザーは、「精霊の領域」やテクノ魔術や黙示録(ディープ・フェイク)に魅せられ、遠く離れた独裁的な地主の捕虜になっている中世の農民のように見える。インターネットは、日常生活の上に置かれた一種の超自然的なレイヤーへと発展し、人びとは恐ろしい力、熱を帯びたビジョン、終末的で精神的な戦いの領域へと容易にアクセスできるようになった。

私たちはサイバーパンクの未来に加速されているのではなく、空想的で魔術的な前近代の過去に放り込まれている。インターネットの構造は、「デジタル封建主義」と呼ぶべき取り決めに向かっている。私たちはデータ侵害の略奪者からの「保護」を受ける交換条件として、テック巨人に自分のブラウジング・データという「果実」を提供する。

メガ・プラットフォームの不透明なアルゴリズムを前にして感じる無力感や、そのような仕組みが生み出す神秘的な感覚は、中世の農民にとってはそれほど奇妙なものではなかった。現代のアルゴリズムとは何か？この現代の「デーモン」は、コンピューティングに構築されている自律的なバックグラウンド・プログラムのことを指す。「マクスウェルの悪魔」は、ギリシャ神話の超自然的デーモンがバックグラウンドで働いているという解釈と一致している。

蜂蜜の捧げ物

一五世紀の農民の街や村は、穴だらけの壁に囲まれていた。そこから霊魂、悪魔、天使、聖人などが出入りする強力なバーチャル領域が生まれた。その後インターネット君主がより多くの日常的なモノ（スマートテレビ、スマートオーブン、スマートスピーカーなど）とつながり、モノを魅了するようになると、その封建的な論理は物質的な世界をも掌握することになる。

携帯電話のアプリを「所有」しているのは、農民が自分の割り当ての土地を保有していたのと同じである。

現代の「農民」のクルマや玄関の鍵にも、同じような魔法がかけられていく。遠く離れた領主が簡単に、そして恣意的に農民を制御する姿が容易に想像できる。それが今、議論されているスマートシティの隠された問題である。

シェアリング・エコノミーが契約者を準封建的に支配しているという「恐ろしいほどの中世的な問題」は、「ギルド構造の復活の可能性」となる。例えば、ライドシェアのドライバーは、独立した資格認定機関を設立して、「土地所有者」(つまりUberやLyft)の「国境」を越えて、データや評判のポータビリティを確保しつつある。

ソーシャルメディア上のテキストの儚さ、そしてその膨大な量は、文字以前の社会の状況を再現している。呪術と儀式に囲まれた封建的な領主の捕虜となった、文字以前への遁走に閉じ込められた私たちは、来るべき黙示録から私たちを救うために、十代の「預言者」に頼るのも不思議ではない。

現在、グーグル、フェイスブック、ツイッター、ティックトック、アマゾンなどのインターネット企業に、私たちは自主的に創造的な「蜂蜜」を捧げている。コンピュータやスマートフォン、オンラインスピーカー、フィットネス・ブレスレットなどにより、個人データの大部分が、これらの企業のサーバーにアップロードされている。レンタルバイクや電動スクーターでさえ、私たちの移動データを収集している。

すべてのクリック、すべての「いいね！」、投稿されたすべての写真、そしてすべてのオンライン・コメントは、「監視資本主義」を主導する企業のためのパワーフードである。彼らは私たちのデータを使って広告を販売し、私たちの行動を予測し、アルゴリズムやＡＩを最適化することで、競合企業の参入を可能な限り困難にしている。

誰にも服従する権利はない

社会の「分断」はイデオロギーのバルカン化を含め、多様な現象である。これまで、ポスト・プライバシー論とプライバシー擁護論の双方は、いかに対立し、パラドックスの渦中にあるかを見てきた。プライバシーを守り、一方でデータ・プライバシーを社会に役立てることができるコモンズの必要性が議論されるのも頷ける。分断の原因を特定することの困難性に丁寧に向かい合い、少なくとも二極化された分断に「橋をかける」努力が必要である。

シェアというのは所有や独占を前提として成り立つ。所有されているものを共有し、分配することである。しかし、所有や独占前に、そもそもプライバシーは共有や分配が可能なのか？　プライバシーを共有することで、得られる対価が今、問われている。

プライバシーの所有権はあくまで個人にある。恋人とのプライバシーや秘密の共有も、一定の共有地でのみで可能だ。共有の幻想を拡大してしまうと、個のプライバシーが抑圧される。ヨーロッパの市民社会の登場にさかのぼれば、市民である以前に、人びとはまず個人になる必要があった。

家父長制や全体主義に身をまかせる「自由」もあると、極端な自由論者は主張する。かつてドイツでは、人びとは強力な全体主義に服従することで、「居心地の良い生活」を求めた。自由にともなう権利や義務から逃れ、ある体制に身を投げだすだけで楽な生活が実現するという幻想がどれだけ危険かは歴史が証明している。

ドイツの社会心理学者エーリヒ・フロムの『自由からの闘争』は、国民社会主義（ナチス）を後押ししたドイツ国民の多くが、個人の自由より強い体制に寄りかかることの「自由」を選んだ背景を明らかにした。

これは、哲学者で政治理論の教授であったハンナ・アーレントが、ナチスに従った官僚主義や当時の国民を批判した有名なスローガンである「誰にも服従する権利はない」という言説にも通じる。アーレントのもうひとつの観点である「悪の凡庸さ」は、国民社会主義がすべての道徳的価値観の崩壊だけでなく、一般国民の判断力の崩壊を示した言葉だった。悪は体制への服従から生まれる。プライバシーの権利と義務を放棄することがあれば、全体主義は繰り返されるのだ。

だからこそ、個人に主権がある自由、プライバシーの自己主権がどうしても必要である。

全体主義に対抗できる道具こそ、私たちのプライバシーなのである。

Photo12/Universal Images Group via Getty Images

ドイツ民主共和国（旧東ドイツ）において政党や政治団体を束ねていた「国民戦線」が構えていた市中の監視拠点。

補稿

パンデミックとプライバシー　権威主義的監視VS.民主的感染追跡

Ⅰ　デジタル監視の台頭

新型コロナウイルス（COVID-19）のパンデミックにより、世界中の都市が封鎖に追い込まれ、一〇〇万人以上の人びとが亡くなっている。収束の見通しも立たず、経済活動の停止による未曽有の経済危機が各国を襲っているため、流行の第二波、第三波を最小限に抑えながらの経済活動の再開が急務となっている。

一方、感染拡大を抑止するとされる最新の監視技術の使用への疑念が世界中で議論されている。人工知能（ＡＩ）によって可能になったデジタル監視社会の台頭が、人びとの「プライバシーの死」を一気に加速させるという懸念である。

各国政府は、熱検知監視カメラ（サーマルカメラ）、感染者追跡用のウェアラブル・デバイス、モバイル位置情報からのデータを使用して、パンデミックの影響を制御することに期待を寄せる。その取り組みはすでに進行中で、世界の都市では、サーマルカメラを使用して感染の症状を検出している。中国や香港などの一部の場所では、感染者のコンプライアンスを確保する名目で、大量のドローンを使用して、過度の市民同士の交流やリストバンドを装着した人びとの行動を「監視」している。

これらのデータを効果的に使用することで人びとを救命する可能性が高まっている一方、監視技術とデータの使用に関する厳密な規則を緊急に設定する必要性があることは明らかだ。さらに新型コロナウイルスの新たな感染を追跡し、検疫を促すためにデータが使用される場合、パンデミックが収束したときに、人びとの個人データやプライバシーはどうなるのか？

II　監視データの行方

規制のない現状のままでは、法執行機関、健康保険組合、地方自治体がデータを悪用したりする可能性は否定できない。緊急時に収集された個人データは、民間保険会社による保険料の決定や、保険適用の拒否に使用される可能性もある。都市が使用する監視技術のほとんどは民間企業によって作成されているため、新興技術に対する政府の政策は、都市とそのコミュニティのニーズに導かれるのではなく、企業の市場原理と利益目標によって推進される可能性がある。

数百万台の監視カメラが、米国、アジア、ヨーロッパ、中東にいたる公共交通網、病院、スタジアム、工場などに設置されている。多くの監視カメラは、ＳＡＲＳの流行やエボラ出血熱の発生に対応して使用されてきたが、体温の高い人を見つけるという名目のもとに、世界は多用途な監視カメラによって埋め尽くされている。技術倫理とプライバシーの擁護者は、当局が取得したデータをどう保存するかに懸念を表明しており、当局はアクセス権限を明確に決定する必要がある。

III　監視体制の常態化

ビッグテックたちも、米国や欧州における個人の位置データ分析に関与している。米国と欧州連合（EU）は、アマゾン、フェイスブック、グーグル、マイクロソフトなどと協力して、モバイル位置データを使用してパンデミックの経路を追跡する方法を模索してきた。公衆衛生を目的とする監視が商業目的の監視に関係しているとき、それらのもつれをほどくことは困難となるため、プライバシーと市民の自由の擁護者からの懸念を引き起こしている。モバイル位置データを使用した追跡技術は、パンデミックの影響を緩和し、多くの命を救うことができるかもしれないが、こうした監視体制が常態化する社会への懸念も高まっている。

モバイル位置データが、個人を特定するプライバシー情報、またはフィットネス・トラッカーやソーシャルメディア・ネットワークからのデータと組み合わされた場合、その身近さにより、難なくデジタル監視社会が容認される可能性がある。公衆衛生対策は常に監視に依存してきたが、COVID-19対策として各国政府は、早期から最新の監視技術に注目していた。

中国は武漢での集団感染発生を受け、いち早くデジタル監視ツールを使用してパンデミック対策に取り組んだ。これらの手法は、地域に数十万もの監視カメラやセンサーを配置して個人の動きと体温を記録することから、携帯電話の位置情報、鉄道および航空データの大量監視を行って、感染者との接触や、感染が多発する地域に旅行した人びとを追跡することまで多岐にわたっている。

東アジアの民主主義国家も、COVID-19と戦うために、広域に及ぶ監視力を発揮してきた。韓国は市民の動きを追跡するために、監視カメラと個人のクレジットカード・データを利用した。彼らがウイルスの蔓延を阻止しようと奮闘しているとき、ＥＵの民主主義陣営は、感染発生を制限するために、中国のような国家主導の監視手法を採用することに疑問を抱いていた。

過去一〇年間、中国は国内で強力なデジタル監視国家を構築し、米国と国際舞台で競争を繰り広げ、最新の監視技術の国際標準を決定し、主要なネットワーク基盤を形成することで、５Ｇテクノロジーと顔認証システムを海外に輸出してきた。これらは今、世界的な混乱を引き起こしている。つまり、感染拡大を防ぐ効果と、それを可能にする技術的進化の重なり合いが混乱をもたらし、今後数年間で強力な監視社会が世界中で形作られる可能性が危惧されているからである。

東アジア諸国は、パンデミックとの闘いには監視体制の強化が不可欠であることを認識していた。一方Ｅ

Uは、加盟各国の市民社会を保護するための「民主的な監視」により対処することに苦労してきた。では、リベラルな価値やプライバシーを犠牲にすることなく、監視技術の大きな利点を証明できるのはどのようなモデルなのか?

Ⅳ　ポスト9・11における監視技術

9・11のテロ攻撃による最大の長期的影響のひとつは、米国およびその他の民主主義諸国における監視の拡大であり、それは公共部門（政府）と民間部門（企業）に共通していた。同様に、COVID-19の最も重要な長期的影響のひとつは、市民をより厳密に監視する必要性に促されて、世界中でデジタル監視体制の再構築が行われることである。民主主義がグローバル監視の懸念を乗り越えることに失敗した場合、競争相手である中国は、その独自のモデルを世界に提供する用意がすでに整っている。

国家による監視技術の使用は無害ではない。二〇世紀を通じて、表向きは民主主義国の政府でさえ、盗聴などの侵入監視技術を使用して、政治的ライバルを監視し、反対意見を抑制してきた。

9・11の攻撃を受けて、米国政府は、国家安全保障局による監視の正当性や国内外の総合情報収集システムの確立など、その権限を大幅に拡大した。膨大な量のデジタルデータを分析することで、テロ容疑者を特定するプロジェクトがそれである。9・11以降の監視強化への転換は、民間部門にも波及効果をもたらした。米国はEUのような商業利用における個人データやプライバシー保護法を採用しなかったため、フェイスブックやグーグルなどが、個人データを収集することで莫大な利益を得るビジネスモデルを可能にした。

現在、各国政府にはCOVID-19対策に取り組むための公衆衛生戦略があり、住民を監視する能力を強め、彼らの「自粛」行動を促している。しかし、米国もEUも、東アジアで適用されているような広範囲で侵入的な監視方法を採用してはいない。

V　先導する東アジアの監視体制

韓国はこれまでのところ、大規模な検査と感染追跡を通じて、ウイルスの蔓延を阻止することに成功したと評価されてきた。韓国当局は、位置追跡スマートフォン・アプリを介して市民の自己検疫を促進した。しかし、ソウル市はまた、市民のクレジットカードの取引情報、監視カメラの映像、その他のデータを分析して、感染の可能性がある個人を侵入的に追跡した。これにより、地方自治体が得たこれらの感染者の個人データを公開すれば、個人のプライバシーが公的に特定される可能性もある。

台湾は人びとを慎重に監視し、その情報を広く市民と共有することで、感染の数を低く抑えてきた。例えば、二月の段階で、全国のすべての病院、診療所、薬局が、感染患者の旅行履歴にアクセスできることを発表した。韓国と同様に、台湾当局はスマートフォン・アプリを使用して、感染が疑われる個人への検査を実施した。台湾のデジタル民主化は、公共部門と民間部門のデータベースを統合し、市民の同意と参加による独自のモデルを成功させた。

香港では、入国者すべてに検疫違反の有無を監視する電子リストバンドを配布し、シンガポールは監視カメラの映像を利用してパンデミックの蓋を閉ざしており、警察の捜査権限は強化され、公衆衛生要件への協力の拒否は違法となっている。

さらにパンデミックは中国の大規模監視の戦略の具体的な成功を促した。「グリッド監視」システムは、都市を小さなセクションに分割し、市民がお互いを監視するように割り当てる。一〇〇万人以上の地元の市民が自らの動きを記録し、体温を測定することにより、住民の行動を規制したのである。

同時に、中国はデジタルツールの包括的な利用にも取り組んだ。国営の鉄道会社、航空会社、主要な通信プロバイダーはすべて、顧客が政府発行のＩＤカードを提示してＳＩＭカードや交通チケットを購入することを要求し、特定の地域を旅行した個人への大量監視を可能にした。スマートフォン・アプリ上で、緑（市の検問所を自由に移動できる）またはオレンジ、赤（移動の制限に従う）と人びとを色別に分類した。北京の当局は、顔認識アルゴリズムを使用して、マスクを着用していない、またはマスクを適切に着用していない通勤者を識別していた。

VI　民主的監視に向けて

ＥＵは監視技術の採用に慎重だった。公衆衛生戦略は地域住民の監視に依存しているため、ＥＵ加盟国の政府は、将来のパンデミックを防ぐために監視能力を強化すべきという大きな圧力に直面した。公衆衛生上の緊急事態により、中国などの権威主義国家によってしばしば展開されるような強力な監視ツールの精度向上が強調されたが、民主主義国家はこれらの技術を精査し、個人の権利を危険にさらすことのない方法を見つける必要がある。そして彼らは、民主主義に代わるシステムを提唱する中国の野心的な取り組みとも闘わなければならないのだ。

中国はデジタル権威主義モデルを、中国のインフラストラクチャと投資の要である「デジタル一帯一路」などの取り組みを通じて世界中に輸出している。この取り組みだけでも、世界中の通信ネットワーク、ｅコマース、モバイル決済システム、ビッグデータ・プロジェクトへの資金提供など、一七〇億ドル（約一兆八二六五億円）を超える投資を積み上げてきた。北京は、デジタルの未来を形作る上で、民主主義と激しく競争している。それは、国連の国際電気通信連合（ＩＴＵ）などの技術標準化における中国の支配的影響からも明らかである。

Ⅶ　民主主義と監視社会

「民主的な監視」の考え方について、民主主義国は公衆衛生が目的の場合のみ監視の力を容認している。台湾が示したように、パンデミックとの闘いには政府の透明性と市民社会の協力も重要である。監視は、人工呼吸器の調達・分配や医療検査態勢を強化するのには役に立つが、民主主義国では、デジタル技術企業によるデータ独占を排除し、個人のプライバシーを積極的に保護する効果的で透明なツールの開発に焦点をあて、個人情報を他の目的で利用することのない、公衆衛生活動を強化するためだけの方法が求められている。

このモデルを開発した後、民主主義国はＡＩ、モノのインターネット（ＩｏＴ）、さらにはインターネット自体のグローバル基準に、監視の権威的な習慣が根付いていないことを確実にするための一層の努力をする必要がある。ドイツの事例を紹介しよう。

Ⅷ　ドイツの挑戦

二〇二〇年六月一六日、公式アプリ「Corona-Warn-App」（コロナ警告アプリ）をリリースした。このアプリは、プライバシーを保護する理念に基づき、完全にオープンソースで、アップルとグーグル両社が互いのスマートフォンOSを相互につなぐ「ブルートゥース」（Bluetooth）を採用した。ブルートゥースとは、デジタル機器の近距離間データ通信を可能とする無線通信技術のひとつである。

ドイツ政府がグーグルと連携するという異例の追跡アプリは、GPSなどの位置情報データではなく、ブルートゥースのみを使用して、近くの携帯電話から匿名データを収集する。ふたりのユーザーが約二メートルの距離で互いに近づき、一五分以上その距離にとどまると、アプリはブルートゥースを介してデータを交換する。

あるユーザーがCOVID-19の検査で陽性を示した場合、ユーザーは検査結果をアプリに登録し、感染者と接触した人に知らせることが可能となる。コロナ追跡アプリは、保存されているすべての連絡先に匿名で通知し、通知を受けた人は保健局の感染テストを即座に受けることができる。データは各デバイスに二週間だけ保存され、当局や第三者によるデータへのアクセスと制御を防ぐことができる。リリースから二四時間で、六四〇〇万人がこのアプリをダウンロードしており、ドイツ政府はＥＵ圏内から生まれたプライバシー保護と感染追跡技術との融合として、世界最高の感染追跡アプリであると自負している。

中国のような権威主義国家とのグローバルな競争に勝利するためには、民主主義国家は監視技術の論評にとどまるのではなく「民主的な監視」の具体的な成功を実証する必要がある。ワクチンや特効薬への期待が薄れていく中、公衆衛生上の民主的な感染追跡の新たな方法こそが、新型コロナウイルスとの共生に不可欠なのかもしれない。

後記

本書は、二〇一九年七月から一年間、法律と法社会学の専門誌『時の法令』（朝陽会刊）に連載された「ベルリン発！ デジタルプライバシー考」をもとに、新たな書き下ろし論考を追加したものである。本書が出版できたのは、黒鳥社のコンテンツ・プロデューサー若林恵氏と代表取締役の土屋繼氏のおかげである。特に若林氏は、『時の法令』連載時より、筆者に書籍化を勧めてくださり、本書の編集やデザイン、造本や出版にいたる流れをすべて統括していただいた。若林氏と土屋氏に深く感謝したい。

そして、『時の法令』の編集を手がける雅粒社の坂本知枝美さんに感謝したい。毎月の原稿の校正において、編集者であり、最初の読者である彼女の率直な質問などで、筆者の原稿に新たな命を与えていただいた。二〇一九年六月、法律家の専門雑誌という筆者が経験したことのない連載依頼は、坂本さんからの的確な提案がなければ、お断りしていたと思う。プライバシーをめぐる立法と個人の権利と義務の歴史的な流れについて、執筆は思いの外困難を極め、欧米の法律専門書とも格闘した一年間だった。

最後に、本書を執筆する際に、筆者が主宰する武邑塾からも多くの刺激を受けた。発起人の水口哲也氏、高橋幸治氏、明神光浩氏、そして武邑塾の塾生に感謝したい。本書は、日本ではほとんど類書のないテーマを扱っている。ベルリンに住んでいなければ、本書は生まれるはずもなかった。

二〇二〇年九月三〇日、ベルリン・クロイツベルクにて

武邑光裕

プライバシー・パラドックス　データ監視社会と「わたし」の再発明

2020年11月30日　第一版一刷　発行

著者　武邑光裕

発行人　土屋繼

発行　株式会社黒鳥社
東京都港区虎ノ門3-7-5 虎ノ門ROOTS 21ビル一階
ウェブサイト：https://blkswn.tokyo　メール：info@blkswn.tokyo

編集　若林恵
デザイン　藤田裕美
DTP　勝矢国弘
制作管理　川村洋介
印刷製本　株式会社誠晃印刷

ISBN978-4-9911260-3-1　Printed in Japan